COZINHA RÁPIDA

30 minutos | 20 minutos | 10 minutos

COZINHA RÁPIDA

30 minutos | 20 minutos | 10 minutos

Pratos italianos

Receitas de Joy Skipper

PUBLIFOLHA

Título original: *QuickCook Italian*.
Publicado originalmente no Reino Unido em 2012 por Hamlyn, uma divisão da Octopus Publishing Group Ltd., Endeavour House, 189 Shaftesbury Avenue, London WC2H 8JY.

Coordenação do projeto: **Publifolha**
Editor assistente: **Thiago Barbalho**
Coordenadora de produção gráfica: **Mariana Metidieri**
Produtora gráfica: **Samantha R. Monteiro**

Produção editorial: **Página Viva**
Tradução: **Laura Valente Schichvarger**
Edição: **Rosi Ribeiro**
Revisão: **Bia Mendes, Juliana Prado**
Consultoria: **Adriana Barretto Figueiredo**
Diagramação: **Bianca Galante, Catharine Rodrigues**

Edição original: **Octopus**
Editora executiva: **Eleanor Maxfield**
Editora sênior: **Leanne Bryan**
Editora de texto: **Abi Waters**
Direção de arte: **Tracy Killick Art Direction and Design**
Projeto gráfico: **www.gradedesign.com**
Designer: **Sally Bond for Tracy Killick Art Direction and Design**
Fotografia: **Lis Parsons**
Consultora culinária: **Joy Skipper**
Produção de objetos: **Liz Hippisley**
Gerente de produção: **Davide Pontiroli**

Dados Internacionais de Catalogação na Publicação (CIP)
(Câmara Brasileira do Livro, SP, Brasil)

Skipper, Joy

Cozinha rápida : pratos italianos ; [tradução Laura Velente Schichvarger]. – São Paulo : Publifolha, 2014. – (Coleção cozinha rápida)

Título original: Quickcook Italian.
ISBN 978-85-7914-515-5

1. Culinária (Receitas) 2. Cozinha italiana I. Skipper, Joy.

14-00387 CDD-641.5945

Índices para catálogo sistemático:
1. Cozinha italiana : Receitas : Culinária : Economia doméstica 641.5945

Este livro segue as regras do Acordo Ortográfico da Língua Portuguesa (1990), em vigor desde 1º de janeiro de 2009.

Impresso na 1010 Printing, China.

PUBLIFOLHA
Divisão de Publicações do Grupo Folha
Al. Barão de Limeira, 401, 6º andar
CEP 01202-900, São Paulo, SP
Tel.: (11) 3224-2186/2187/2197
www.publifolha.com.br

Nota do editor
Apesar de todos os cuidados tomados na elaboração das receitas deste livro, a editora não se responsabiliza por erros que possam acontecer durante o preparo dos pratos.

Pessoas com restrições alimentares, grávidas e lactantes devem consultar um médico especialista sobre os ingredientes de cada receita antes de prepará-la.

As fotos deste livro podem conter acompanhamentos ou ingredientes meramente ilustrativos.

Observações, exceto se orientado de outra forma:
Use sempre ingredientes frescos.
O forno deve ser preaquecido na temperatura indicada na receita.

Equivalência de medidas:
1 colher (chá) = 5 ml
1 colher (sopa) = 15 ml
1 xícara (chá) = 250 ml

Sumário

Introdução

30 20 10 – Rápido, Mais Rápido, Muito Rápido

Este livro traz uma abordagem nova e flexível para cozinheiros atarefados planejarem as refeições, o que permite a escolha da receita mais adequada à sua disponibilidade de tempo. Aqui você encontra 360 pratos que inspiram e motivam a cozinhar todos os dias do ano. O tempo de preparo de todas as receitas é de, no máximo, 30 minutos. Algumas podem ser feitas em 20 minutos, e outras levam apenas 10 minutos, muitas delas aproveitando ingredientes que já estão prontos. Com algum planejamento, você pode tentar uma nova opção a cada dia e, aos poucos, montar um amplo repertório culinário.

Como usar este livro

No início de cada capítulo, há uma lista de receitas separadas por tempo de preparo. Escolha um prato de acordo com o tempo que você tem disponível e vá direto para a receita certa.

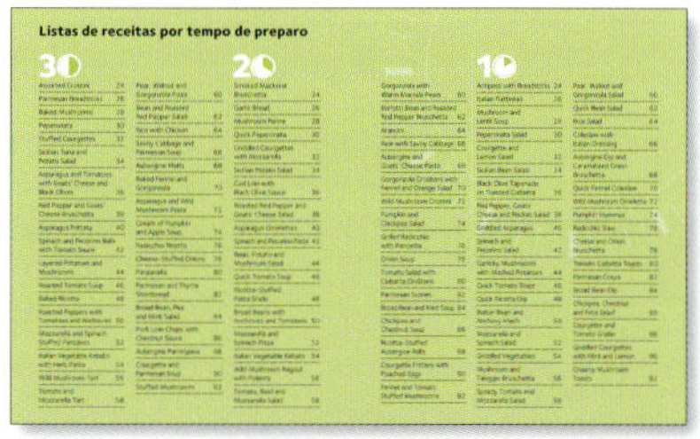

Cada página traz, no topo, a receita principal, acompanhada da foto na página ao lado. Abaixo, há sempre duas opções de receitas que trazem uma base similar de ingredientes, mas oferecem diferentes tempos de preparo.

Se você apreciou o prato, pode preparar as outras opções. Se você gostou do Espaguete à carbonara, de 20 minutos (pp. 102-3), mas dispõe de apenas 10 minutos, encontrará uma forma de prepará-lo usando ingredientes difrentes ou passos mais rápidos para agilizar.

Se você adora os ingredientes e sabores da Lula na manteiga de ervas, de 10 minutos (pp. 156-7), por que não tentar algo mais substancial, como a Lula temperada com grão-de--bico, de 20 minutos, ou uma versão mais elaborada, como a Lula à dorê, de 30 minutos?

Quando quiser inspiração, pesquise entre as 360 receitas deliciosas até encontrar algo que salte aos olhos. Ou para facilitar, consulte a galeria de fotos nas pp. 12-9 para ter uma visão por temas, tais como Delícias vegetarianas ou Campeões com frutas.

Cozinha Rápida – Pratos italianos

A culinária italiana pode ir muito além do que imaginamos. Pizzas, massas e risotos são velhos conhecidos e foram amplamente imitados (nunca à altura). Cada região da Itália possui uma cozinha e hábitos alimentares próprios.

Na Itália, a refeição sempre foi algo muito importante socialmente. Sua diversidade desenvolveu-se após a queda do Império Romano, que resultou em um território apinhado de pequenos Estados de governos independentes, cada qual com identidade própria e, portanto, tradições e culinária típicas.
A verdadeira comida italiana encontra-se nas aldeias mais remotas, onde quase nada mudou com o passar dos séculos.
Lá é comum encontrar mercados locais repletos de produtos cultivados e colhidos pela mesma pessoa que os vende.

A geografia desempenhou papel importante na definição dos estilos culinários, com cerca de 1.500 km de litoral – onde peixes e frutos do mar são abundantes – e a cordilheira dos Apeninos, espécie de espinha dorsal da Itália. A extensão do país dá origem a uma enorme variedade, com a cozinha do norte mais germânica, de clima frio e usando mais manteiga; e a do sul com ingredientes mediterrâneos e quantidades generosas de azeite.

Outros países também influenciaram a cozinha italiana. A comida da região noroeste, que faz fronteira com a França, se assemelha à cozinha francesa (usando manteiga em vez de azeite), enquanto a região vizinha à Áustria, no nordeste, tem boa influência desse país e é conhecida pelos caldos substanciosos e pelas carnes defumadas. A comida do sul se baseia nos frutos do mar, com anchova, sardinha e peixe-espada. Embora as várias regiões sirvam estilos de comida diferentes, alguns alimentos são consumidos em todo o país: massas, risotos e azeite se espalham em abundância por toda a Itália.

Uma refeição italiana

O dia começa com um café da manhã que consiste em um pão doce simples e uma xícara de café. O almoço é a refeição principal e conta com vários pratos. Uma típica refeição italiana pode durar 1-2 horas, ou até mais. O antepasto vem antes da refeição principal e geralmente é composto de um prato de carne curada, queijos, pimentão recheado e pães da produção local.
O primeiro prato é em geral uma massa, uma sopa ou um risoto.

O segundo prato, uma carne, uma ave ou um peixe, acompanhado de batata, legumes ou salada. Em seguida vem a sobremesa ou um queijo. Tudo é, então, arrematado por um expresso.

Para os italianos, uma boa refeição tem de ser preparada com ingredientes frescos. Isso também reforça os pratos regionais, pois o que cresce bem na Toscana pode não se dar bem no sul. E, embora atualmente alguns ingredientes estejam disponíveis o ano inteiro, eles preferem fazer seus pratos só com ingredientes sazonais. As receitas regionais tendem à simplicidade, pois usam apenas produtos cultivados ou produzidos localmente.

Um estilo de vida saudável

Pessoas que vivem às margens do mar Mediterrâneo são conhecidas por ter uma das dietas mais saudáveis do mundo – com frutas e legumes cultivados na região e peixe e frutos do mar frescos, tudo regado com um delicioso azeite (apesar do alto consumo, o azeite é uma gordura saudável). Os italianos comem sem pressa, desfrutando as refeições em família – a hora de comer continua sendo uma ocasião social, o que resulta em uma população mais saudável.

Técnicas e dicas

É possível usar a criatividade na cozinha mesmo quando não se tem muito tempo para gastar com as panelas. As receitas deste livro podem ser preparadas num piscar de olhos, usando ingredientes saudáveis e saborosos, com a ajuda de uma despensa bem abastecida. As páginas a seguir apresentam uma grande variedade de pratos italianos deliciosos e rápidos de preparar, perfeitos para pessoas que levam uma vida agitada. São receitas que permitem ser criativo no menor tempo possível. O uso de condimentos, temperos, ervas e especiarias pode incrementar suas refeições, dando a oportunidade de provar uma vasta gama de cores, sabores e texturas.

Uma cozinha bem-equipada ajuda a economizar tempo no preparo das refeições. Um par de panelas de tamanhos diferentes, uma frigideira e um wok são essenciais. Uma centrífuga para salada acelera a lavagem/secagem das folhas, e uma balança de cozinha garante bons resultados. Um processador de alimentos ou liquidificador é imprescindível para preparar sopas e molhos.

Ingredientes

Recheie sua despensa antes de começar a viajar pelo mundo da culinária italiana. Com uma variedade de ingredientes à mão, você vai ter mais opções para uma refeição de última hora.

Massa, polenta, arroz e leguminosas

As massas são consumidas em toda a Itália. Elas podem ser feitas com ou sem ovos, usando farinha de trigo duro ou macio e consumidas frescas ou secas. Os italianos são categóricos sobre qual massa usar com qual molho, e cada região tem as suas combinações.

A polenta é uma farinha feita de milho de moagem grossa, cozida em água até atingir a consistência de um purê de batata e servida com carne ou lula e um molho. Ao esfriar, a polenta, que é mole enquanto quente, fica dura e pode ser grelhada e coberta com outros ingredientes. Polenta instantânea leva só 5 minutos para cozinhar.

Há três variedades de arroz para risoto – arbório, carnaroli e vialone nano –, todos cultivados no vale do rio Pó, no norte da Itália. Ao misturar o risoto durante o cozimento, os grãos soltam mais amido, o que o torna deliciosamente cremoso.

O feijão-branco e o rajado, o grão-de-bico e as lentilhas são a base de muitas sopas, ensopados e saladas. Para cozinhar o grão seco, é preciso deixá-lo de molho por uma noite na água fria. É possível usar leguminosas em lata, se o tempo for curto.

Queijo e presunto

A Itália é famosa por seus variados tipos de queijos. O parmesão, talvez o mais célebre, é um queijo duro de leite de vaca feito no norte da Itália, muito utilizado na culinária do país. O grana padano é parecido, mas mais econômico. O pecorino, feito com leite de ovelha na região central e sul, é outra opção famosa. O fontina é um tipo suave da região do Piemonte que derrete bem e de maneira uniforme, o que o torna perfeito para cozinhar. Dos queijos azuis, o gorgonzola, mais saboroso, e o dolcelatte, mais leve e cremoso, são usados em molhos para massas.

Queijos mais moles também são abundantes por lá. A muçarela pode ser feita com leite de vaca ou de búfala; use a de vaca para cozinhar e prefira a muçarela de búfala, mais cremosa, se deseja comê-la fresca. A ricota, que tem muitos usos culinários, é um queijo suave feito com o soro de leite que sobra da fabricação de outros queijos e tem um teor de gordura naturalmente baixo. O mascarpone, usado na clássica sobremesa tiramisù, tem forma de creme, espesso e gordo, com sabor suave e textura macia e envolvente.

O presunto italiano – prosciutto – é curado, e uma das variedades mais conhecidas é o Parma. Pode ser servido cru, em fatias bem finas, como um antepasto, como ingrediente para saladas, ou ainda para enrolar filés de peixe, carne ou frango.

Tomate
Existem muitas variedades de tomate na Itália, sobretudo durante o verão, cada uma com um uso apropriado. O tomate San Marzano, alongado e conhecido no Brasil como tomate italiano, é utilizado em molhos e geralmente vendido pelado enlatado. A passata é um purê liso de tomate cru usado na cozinha do dia a dia.

Cogumelo
Porcini, chanterelles e girolles são os cogumelos selvagens mais comuns na Itália. Entre o final do verão e o começo do outono, eles são consumidos crus em saladas, fritos com alho e misturados em massas, bruschettas, polenta e risotos ou servidos com bife. Os cogumelos secos estão disponíveis em qualquer época do ano e precisam ser reidratados antes de cozinhar.

Anchova, alcaparra e azeitona
Esses campeões da despensa têm valor inestimável para dar sabor extra a muitos pratos italianos. As anchovas são mais usadas na culinária do sul e podem ser compradas frescas ou em conserva (aliche), seja no sal, seja no óleo. Alcaparras são botõezinhos de flor em conserva de sal ou salmoura. As azeitonas são um dos pilares da cozinha italiana, apreciadas como parte de um antepasto, ou para conferir sabor a quase tudo – de pizza a massas.

Azeite e vinagre
O azeite extravirgem é resultado da primeira prensagem a frio das azeitonas e seu sabor é intenso e complexo, enquanto o comum tem sabor mais fraco. Fritar e refogar são processos que destroem o sabor e o aroma do azeite, por isso prefira uma variedade mais em conta para cozinhar e reserve o melhor para pratos crus.

O vinagre de vinho tinto é usado tanto em molho de salada como para cozinhar. O balsâmico, feito em Modena, adocicado e mais consistente, também é popular, e bastam algumas gotas para dar sabor a saladas, molhos ou mesmo uma taça de morango fresco.

Delícias vegetarianas

Refeições deliciosas sem carne – não só para vegetarianos.

Abobrinha recheada 32

Frittata de aspargo 40

Panqueca recheada com muçarela e espinafre 52

Sopa de repolho 66

Berinjela com queijo derretido 68

Crostini de mix de cogumelo 72

Sopa de grão-de-bico e castanha-portuguesa 86

Cogumelo recheado 92

Risoto de funghi porcini 104

Orecchiette com brócolis e pimenta 114

Polenta de milho-verde e espinafre 130

Linguine com ervilha e cebolinha 150

Campeões com frutas

Opções saborosas para consumir as cinco porções de frutas necessárias ao dia.

Salada de pera, nozes e gorgonzola 60

Creme de abóbora e maçã 74

Vieira ao açafrão com purê de maçã e pistache 180

Bife de porco ao limão e alecrim com salada de feijão cannellini 206

Bife de porco empanado no fubá, salada de pera e rúcula 214

Cordeiro com mel, mostarda e limão 216

Crepe de pera e mascarpone 242

Pêssego assado no amaretto 244

Ricota doce com framboesa 246

Strudel de pera 256

Vitamina de pêssego e banana 266

Sobremesa de damasco com amaretto 274

Especiais de verão

Ótimas ideias para refeições ao ar livre, em estilo italiano.

Salada siciliana de batata 34

Torta mix de cogumelo 56

Peixe-espada grelhado com molho verde 158

Cavalinha com salada de batata e beterraba 162

Salada de camarão e tomate 184

Trilha frita com vagem 186

Sardinha marinada 190

Salada de atum e feijão cannellini 192

Pão pita recheado com cordeiro 208

Melancia e abacaxi com sambuca 258

Tortinha de maçã e parmesão 264

Iogurte com figo e mel 270

Clássicos

Nossa seleção de clássicos italianos, dignos da cozinha da mamma!

Peperonata 30

Nhoque de batata 100

Espaguete à carbonara 102

Pizza fiorentina 106

Espaguete à bolonhesa com tomate-cereja grelhado 116

Espaguete à putanesca 136

Caldeirada italiana de peixe e frutos do mar 164

Carpaccio de carne 200

Escalope de vitela com creme 224

Tiramisù 250

Zabaione 252

Cantuccini 268

Para receber em casa

Jantares estressantes serão coisa do passado com estes pratos deslumbrantes e fáceis de fazer.

Antipasti com grissini 24

Linguine com carne de caranguejo 110

Risoto de ervilha e hortelã 118

Risoto de açafrão 124

Rigatoni com mexilhão e abobrinha 132

Lula na manteiga de ervas 156

Tamboril enrolado em presunto cru com lentilha e espinafre 172

Mexilhão cremoso com pancetta 182

Cordeiro ensopado com polenta 198

Vitela com presunto cru e sálvia 204

Cassata com casca de laranja cristalizada 276

Suflê de chocolate com amaretto 278

Leves e saudáveis

Deleite-se com o frescor e a leveza dos sabores mediterrâneos.

Espetinho italiano de legumes 54

Bruschetta de feijão borlotti e pimentão vermelho assado 62

Radicchio grelhado com pancetta 76

Sopa de fava e hortelã 84

Fusilli com agrião, uva-passa e pinhole 142

Mexilhão recheado 160

Salada de feijão cannellini com camarão 168

Atum com feijão cannellini e pimentão vermelho assado 174

Truta assada com azeitona 176

Filé de robalo com salada de lentilha 178

Frango à romana com pimentão 218

Salada de peito de pato defumado 234

Opções com queijo

O que seria da comida italiana sem o queijo, em todas as suas formas e variedades?

Grissini de parmesão 26

Salada de pimentão vermelho assado e queijo de cabra 38

Bolinho de espinafre com molho de tomate 42

Ricota assada 48

Erva-doce assada com gorgonzola 70

Cebola recheada com queijo 78

Crocante de parmesão 82

Fettucine com gorgonzola e espinafre 122

Calzone de queijo e espinafre 134

Nhoque com espinafre, queijo e nozes 146

Frango à parmigiana 202

Panqueca de ricota com laranja e figo 272

Opções com tomate

Um clássico ingrediente italiano, com o sabor do sol.

Sopa de tomate assado 46

Salada de fava com aliche e tomate 50

Salada de tomate, manjericão e muçarela 58

Panzanella 80

Penne all'arrabbiata 120

Risoto de tomate 128

Pizza de caponata com berinjela e abobrinha 138

Pizza margherita 148

Atum com molho de tomate e alcaparra 166

Bacalhau picante com molho de tomate 170

Almôndega com molho de tomate e espaguete 222

Sanduíche de frango com bacon 226

Sopas, saladas e refeições leves

Listas de receitas por tempo de preparo

30

20

10

10 Antipasti com grissini

4 porções

100 g de azeitona
75 g de alcachofra grelhada em conserva
50 g de pimentão grelhado em conserva
50 g de tomate seco
50 g de aliche em conserva
100 g de presunto cru
100 g de salame
220 g de muçarela
6 colheres (sopa) de azeite extravirgem
4 colheres (sopa) de vinagre balsâmico
grissini, para servir

- Coloque os ingredientes em um prato ou em tigelinhas e disponha-os sobre uma tábua grande. Quando for a hora de comer, despeje o azeite e o vinagre balsâmico em tigelinhas separadas para mergulhar os antepastos.
- Sirva com grissini.

20 Bruschetta de arenque defumado

Corte uma baguete grande em 8 fatias. Pincele cada uma com azeite e leve ao forno preaquecido (ou sob o grill do forno), virando uma vez para ficar tostada e dourada dos dois lados. Misture 225 g de arenque defumado com 6 tomates picados, 2 colheres (sopa) de pinhole torrado, suco de 1 limão-siciliano e 1 colher (sopa) de salsa picada e reserve. Junte ½ colher (chá) de molho de raiz-forte* em 175 g de cream cheese, mexa e espalhe esse creme sobre cada fatia de pão. Cubra com a mistura de arenque e sirva.

* À venda em lojas especializadas e delicatessens.

30 Crostini variado

Corte uma baguete fina em 12 fatias. Pincele cada uma com azeite e asse em forno quente (ou sob o grill do forno) dos dois lados até ficarem tostadas e douradas. Esfregue em cada fatia um dente de alho. Corte 1 pimentão vermelho ao meio, retire as sementes e asse em forno quente preaquecido (ou sob o grill do forno) com o lado do corte virado para baixo, até a pele ficar preta. Transfira para uma tigela, cubra com filme de PVC e deixe esfriar o suficiente para manusear. Em seguida, retire a pele tostada, corte os pimentões em tiras e coloque-as sobre 4 dos crostini. Complete com 50 g de queijo de cabra esfarelado e ½ colher (chá) de folhas de tomilho picadas. Pique um tomate com ½ colher (chá) de alcaparras e 4-5 folhas de manjericão. Coloque essa mistura sobre os outros 4 crostini e regue com 1 colher (sopa) de azeite extravirgem. Cubra os 4 crostini restantes com 4 fatias de presunto e 1 colher (chá) de alcaparras.

30 Grissini de parmesão

4 porções

250 g de farinha de trigo branca para pães, mais um pouco para polvilhar
7 g de fermento biológico seco instantâneo
½ colher (chá) de sal
½ colher (sopa) de azeite
cerca de 150 ml de água morna
50 g de parmesão ralado

- Polvilhe duas assadeiras com farinha. Em uma tigela, coloque a farinha, o fermento e o sal e misture. Junte o azeite e 1-2 colheres (sopa) da água. Misture tudo com a mão, acrescentando mais água aos poucos até obter uma massa macia e não pegajosa.
- Polvilhe a massa com o parmesão ralado e sove bem até incorporar totalmente o queijo.
- Transfira a massa para uma superfície enfarinhada e sove por 5-10 minutos, até ficar lisa e elástica.
- Divida-a em cerca de 16 pedaços do tamanho de uma noz e role até formar palitos compridos. Coloque nas assadeiras preparadas.
- Preaqueça o forno a 200 °C por 4-5 minutos e asse até ficar dourado e crocante. Deixe esfriar sobre uma grade.

10 Pão folha italiano

Coloque em uma tigela 280 g de farinha de trigo, 160 g de semolina fina, ½ colher (chá) de sal e 1 colher (sopa) de alecrim picado e misture. Junte 1-2 colheres (sopa) de água morna. Misture com a mão, adicionando aos poucos 300 ml de água morna até obter uma massa macia, mas não pegajosa. Transfira para uma superfície enfarinhada e sove por 2-3 minutos. Divida em 8 pedaços e abra em círculos de 18-20 cm. Coloque os pães em uma ou duas assadeiras polvilhadas com farinha. Asse em forno preaquecido a 220 °C por 2 minutos de cada lado.

20 Pão de alho

Em uma tigela, amoleça 175 g de manteiga e misture com 4-5 dentes de alho amassados, mais 4 colheres (sopa) de salsa picada. Corte uma baguete ao meio no sentido do comprimento e faça fendas de 1 cm na casca por toda a extensão de uma das metades, com cuidado para não atravessar o pão com os cortes (reserve a outra metade). Coloque a mistura de manteiga com alho em cada fenda, pressionando o pão ao terminar para que as fendas fiquem fechadas. Embrulhe em papel-alumínio e asse no forno a 200 °C por 15-18 minutos, até ficar dourado e crocante.

30 Cogumelo assado

4 porções

8 cogumelos portobello grandes
3 colheres (sopa) de azeite
8 raminhos de tomilho
2 colheres (sopa) de marsala
100 g de pancetta
50 g de castanha-portuguesa picada
200 g de espinafre
225 g de muçarela ralada
sal e pimenta-do-reino moída na hora

- Coloque os cogumelos em uma assadeira, regue com 2 colheres (sopa) de azeite, disponha um raminho de tomilho sobre cada um e despeje o marsala ao redor dos cogumelos. Asse em forno preaquecido a 200 °C por 15-18 minutos.
- Enquanto isso, aqueça o azeite restante em uma frigideira e doure o bacon por 4-5 minutos, até começar a ficar crocante. Misture as castanhas picadas e o espinafre e mexa até o espinafre murchar. Tempere com sal e pimenta.
- Retire os cogumelos do forno, coloque uma colherada do recheio em cada um e cubra com a muçarela ralada. Volte ao forno e asse, se possível, sob o grill do forno preaquecido por 5-6 minutos, até o queijo ficar derretido e gratinado.

10 Sopa de lentilha e cogumelo

Aqueça 2 colheres (sopa) de azeite em uma frigideira e refogue 1 cebola picada e 2 dentes de alho fatiados por 2-3 minutos. Adicione 150 g de cogumelos portobello picados e deixe cozinhar por 2-3 minutos. Junte uma lata escorrida de 400 g de lentilha e 1 litro de caldo de legumes e deixe ferver. Cozinhe por 2-3 minutos e junte um punhado de folhas de espinafre picadas, 2 colheres (sopa) de salsa picada e 2 colheres (sopa) de parmesão ralado. Sirva com pão crocante.

20 Penne com cogumelo

Em uma panela, coloque 480 g de cogumelo portobello fatiado, 2 colheres (chá) de mostarda com grãos, 4 dentes de alho amassados, uma pitada de pimenta-calabresa e 300 ml de caldo de legumes. Cozinhe por 10-12 minutos até o caldo ter sido quase totalmente absorvido. Enquanto isso, cozinhe 400 g de penne em uma panela com água fervente, seguindo as instruções da embalagem, até ficar *al dente*. Escorra o macarrão e misture com os cogumelos, raspas de 1 limão-siciliano, 2 colheres (sopa) de salsa picada e 2 colheres (sopa) de parmesão ralado. Sirva com salada verde.

30 Peperonata

4 porções

3 colheres (sopa) de azeite
2 cebolas fatiadas
2 dentes de alho fatiados
2 pimentões vermelhos cortados em fatias de 1 cm
2 pimentões amarelos cortados em fatias de 1 cm
350 g de tomate maduro picado grosseiramente
um punhado pequeno de folhas de manjericão picadas

- Aqueça o azeite em uma frigideira média e refogue a cebola e o alho por 1-2 minutos.
- Junte o pimentão e cozinhe em fogo médio por mais 10 minutos e, em seguida, adicione o tomate picado.
- Continue a cozinhar por mais 15 minutos até o pimentão começar a amolecer.
- Adicione o manjericão e sirva.

---

10 Salada peperonata Misture 2 pimentões vermelhos e 2 amarelos com 4 tomates fatiados, um punhado pequeno de folhas de manjericão e 50 g de folhas de espinafre baby. Regue com 2 colheres (sopa) de azeite e o suco de ½ limão-siciliano e misture.

---

20 Peperonata rápida Aqueça o azeite em uma frigideira média e adicione todos os ingredientes vistados acima, exceto as folhas de manjericão. Cozinhe por 15 minutos, mexendo sempre. Sirva polvilhado com manjericão picado. Essa versão é mais rápida e crocante que a receita acima.

30 Abobrinha recheada

4 porções

4 abobrinhas italianas
175 g de tomate picado
210 g de muçarela ralada
2 colheres (sopa) de folhas de manjericão rasgadas
25 g de parmesão ralado
sal e pimenta-do-reino moída na hora

- Corte as abobrinhas ao meio no sentido do comprimento e, com uma colher, retire o miolo de cada uma e reserve essa polpa.
- Coloque as metades das abobrinhas em uma assadeira e leve ao forno preaquecido a 200 °C por 10 minutos.
- Enquanto isso, pique a polpa reservada e, em uma tigela, misture com o tomate picado, a muçarela ralada e o manjericão. Tempere com sal e pimenta.
- Retire as metades das abobrinhas do forno e recheie cada uma delas.
- Polvilhe com o parmesão ralado e volte ao forno para assar por mais 15 minutos, até dourar.

---

10 **Salada de abobrinha com limão** Rale 2 abobrinhas grandes em uma tigela e junte uma pimenta dedo-de-moça sem semente e bem picadinha, mais 5-6 folhas de manjericão picadas. Em uma tigela pequena, misture 2 colheres (sopa) de azeite extravirgem com um pouco de suco de limão-siciliano e ½ colher (chá) de mel. Despeje o molho sobre a abobrinha e misture para revestir bem.

---

20 **Abobrinha grelhada com muçarela** Use um descascador de legumes para fatiar finamente as abobrinhas no sentido do comprimento. Misture com 2 colheres (sopa) de azeite e grelhe em grill ou frigideira preaquecidos, deixando dourar por 2-3 minutos de cada lado, até aparecerem as marcas da grelha. Sirva coberto com 210 g de muçarela picada e 6-8 folhas de manjericão rasgadas. Finalize com um pouco de azeite, suco de limão e pimenta-do-reino moída na hora.

20 Salada siciliana de batata

4 porções

6-7 batatas descascadas e picadas em pedaços grandes
1 colher (chá) de orégano fresco ou seco
2 dentes de alho amassados
1 colher (chá) de vinagre de vinho tinto
3 colheres (sopa) de azeite extravirgem
500 g de tomate maduro picado grosseiramente
1 cebola roxa fatiada
10-12 azeitonas pretas sem caroço
4 ovos cozidos fatiados

- Cozinhe as batatas em uma panela com água fervente por 12-15 minutos, até ficarem macias. Escorra e deixe esfriar.
- Enquanto isso, misture em uma tigela pequena o orégano, o alho, o vinagre e o azeite. Reserve.
- Em um prato grande, junte as batatas já frias, os tomates, a cebola roxa, as azeitonas e os ovos e regue com o molho. Aguarde 2-3 minutos para servir.

10 Salada siciliana de feijão

Faça a salada de batata como acima, substituindo-a por 400 g de feijão-de-lima ou feijão-branco enlatado lavado e escorrido. Sirva imediatamente.

30 Salada siciliana de batata e atum

Faça a salada de batata como indicado acima. Quando a batata estiver quase cozida, frite 2 filés de atum de 150 g temperados com pimenta-do-reino por 4-5 minutos de cada lado, ou com o ponto de sua preferência. Deixe descansar por 2-3 minutos, despedace e junte delicadamente à salada de batata.

10 Tapenade de azeitona preta no pão ciabatta torrado

4 porções

3 colheres (sopa) de alcaparra
4 filés de aliche
1 dente de alho picado
suco de 1 limão-siciliano
250 g de azeitona preta sem caroço
2 colheres (sopa) de salsa picada
3-4 colheres (sopa) de azeite
1 pão ciabatta fatiado
sal e pimenta-do-reino moída na hora

- Coloque as alcaparras, os filés de aliche, o alho e o suco de limão em um processador ou liquidificador e bata por cerca de 10 segundos, até obter um purê grosso.
- Junte as azeitonas, a salsa picada e azeite suficiente para fazer uma pasta. Bata novamente e tempere a gosto com sal e pimenta.
- Toste as fatias de ciabatta dos dois lados. Espalhe a tapenade em cada uma e sirva imediatamente.

---

20 Lombo de bacalhau com molho de azeitona preta Em uma tigela, misture 200 g de azeitona preta picada grosso, ½ pimenta vermelha picada fino, 2 colheres (sopa) de folhas de manjericão picadas, 1 dente de alho amassado, suco de 1 limão-siciliano e 2-3 colheres (sopa) de azeite. Em uma frigideira, aqueça 2 colheres (sopa) de azeite e frite 4 filés de bacalhau de 150 g cada um por 3-4 minutos de cada lado, até ficar ao ponto. Coloque o molho de azeite sobre o peixe com uma colher e sirva com salada de rúcula.

---

30 Aspargo e tomate com queijo de cabra e azeitona preta Coloque 450 g de tomate-cereja em uma assadeira, despeje 2 colheres de azeite por cima e tempere com sal e pimenta-do-reino moída na hora. Junte 4 dentes de alho cortados ao meio e asse em forno preaquecido a 200 °C por 10 minutos. Retire um pouco do suco do tomate e adicione 400 g de aspargo. Volte ao forno e asse por mais 10 minutos. Enquanto isso, asse 4 fatias de queijo de cabra com casca por alguns minutos, de preferência sob o grill do forno bem quente, até ficar ligeiramente dourado e macio. Sirva o aspargo com o tomate em quatro pratos quentes, salpique 100 g de azeitona preta sem caroço e finalize com o queijo de cabra grelhado.

20 Salada de pimentão vermelho assado e queijo de cabra

4 porções

4 pimentões vermelhos cortados ao meio e sem semente
3 colheres (sopa) de azeite extravirgem
suco de ½ limão-siciliano
1 colher (chá) de mel
1 colher (chá) de mostarda
1 dente de alho picado
75 g de pinhole
150 g de queijo de cabra
10-12 folhas de manjericão
pimenta-do-reino moída na hora

- Asse o pimentão vermelho, com o lado do corte virado para baixo, no forno preaquecido, de preferência sob o grill, por 8-10 minutos, até a pele ficar tostada.
- Enquanto isso, em uma tigela pequena ou copo, misture o azeite, o suco de limão, o mel, a mostarda e o alho e tempere com pimenta-do-reino. Reserve.
- Coloque o pimentão em uma tigela grande, cubra com filme de PVC e deixe até esfriar o suficiente para manusear, depois retire a pele.
- Toste os pinholes em uma frigideira seca até dourarem.
- Rasgue os pimentões em tiras e coloque em uma travessa. Despedace o queijo de cabra e espalhe por cima, junte as folhas de manjericão e misture delicadamente.
- Regue com o molho e sirva salpicado com o pinhole.

10 Salada de pimentão vermelho, queijo de cabra e rúcula Corte 4 pimentões vermelhos ao meio, retire as sementes e fatie fino. Em uma tigela, misture-os com 50 g de rúcula, 8-10 folhas de manjericão picadas e 150 g de queijo de cabra esfarelado. Regue com 2 colheres (sopa) de azeite extravirgem e 1 colher (sopa) de vinagre balsâmico. Sirva salpicado com pinhole torrado.

30 Bruschetta de pimentão vermelho e queijo de cabra Faça a salada de pimentão e queijo de cabra como indicado ao lado. Corte uma baguete grande em fatias. Regue com azeite e leve ao forno quente. Vire para tostar e dourar dos dois lados. Retire e esfregue cada fatia com um dente de alho. Divida a salada sobre as fatias de pão e sirva salpicado com pinhole torrado.

30 Frittata de aspargo

4 porções

400 g de aspargo verde
2 colheres (sopa) de azeite
6 ovos grandes
50 g de parmesão ralado
1 colher (sopa) de orégano
sal e pimenta-do-reino moída na hora

- Quebre a parte fibrosa dos aspargos e descarte-as. Misture as pontas tenras com 1 colher (sopa) de azeite.
- Aqueça uma frigideira ou grill até ficar bem quente e grelhe os aspargos por 4-5 minutos, até que estejam um pouco tostados. Corte cada aspargo em três pedaços.
- Em uma tigela grande, bata os ovos com o parmesão ralado, o orégano e um pouco de sal e pimenta-do-reino. Junte os aspargos.
- Aqueça o azeite restante em uma frigideira antiaderente. Despeje a mistura e cozinhe por 8-10 minutos em fogo baixo, inclinando-a de vez em quando para permitir que o ovo líquido chegue às bordas.
- Vire com cuidado e cozinhe por mais 4-5 minutos, até dourar. Caso seu forno tenha grill e a frigideira seja apropriada, asse sob o grill do forno pelo mesmo tempo.
- Vire sobre uma tábua, corte em fatias e sirva imediatamente.

10 Aspargo grelhado

Misture 450 g de aspargo limpo com 2 colheres (sopa) de azeite. Aqueça uma frigideira de fundo grosso ou grill até ficar quente e frite os aspargos por 4-5 minutos, virando uma vez. Sirva regado com azeite e polvilhado com lascas de parmesão.

20 Omelete de aspargo

Cozinhe 400 g de aspargo limpo no vapor por 2-3 minutos, até ficar macio. Enquanto isso, em uma tigela grande, bata 8 ovos com um pouco de sal e pimenta-do-reino e um pouquinho de água. Aqueça uma frigideira pequena (ou frigideira de omelete) e derreta 10 g de manteiga. Despeje um quarto da mistura de ovos. Cozinhe por 1 minuto, inclinando a frigideira de vez em quando para o ovo líquido atingir as bordas, e deixe cozinhar até firmar. Despeje um quarto dos aspargos sobre metade da omelete e dobre o outro lado sobre os aspargos. Deslize para um prato. Repita com os ovos e os aspargos restantes para fazer as outras omeletes.

30 Bolinho de espinafre com molho de tomate

4 porções

250 g de espinafre baby
1 ovo batido
1 dente de alho picado
50 g de pecorino ralado
75 g de farinha de rosca
1 colher (sopa) de azeite
2 echalotas picadas em cubos
400 g de tomate pelado em lata picado
50 ml de vinho tinto
2 colheres (sopa) de folhas de manjericão rasgadas
óleo vegetal para fritar
4 colheres (sopa) de parmesão ralado na hora, para servir
sal e pimenta-do-reino moída na hora

- Cozinhe o espinafre no vapor por 1-2 minutos, até murchar. Esprema o excesso de água e corte-o grosseiramente.
- Em uma tigela, misture o espinafre com o ovo, o alho, o pecorino, a farinha de rosca e um pouco de sal e pimenta.
- Enrole a mistura em bolotas do tamanho de uma noz e leve à geladeira por 15 minutos.
- Enquanto isso, prepare o molho de tomate. Aqueça o azeite em uma panela e refogue a cebola por 2-3 minutos. Despeje o tomate picado e o vinho tinto e junte o manjericão. Cozinhe por 8-10 minutos.
- Aqueça o óleo vegetal em uma panela de fritura até chegar a 180-190 °C ou até um cubo de pão dourar em 30 segundos quando mergulhado no óleo.
- Frite os bolinhos de espinafre em lotes por 3-4 minutos, até dourar. Retire com uma escumadeira e escorra em papel-toalha.
- Sirva com o molho de tomate e salpique com o parmesão ralado.

---

10 Salada de espinafre e pecorino

Junte 3 colheres (sopa) de azeite extravirgem com 1 colher (sopa) de vinagre balsâmico, 1 colher (chá) de mostarda de Dijon e ½ colher (chá) de mel. Misture 175 g de espinafre baby, 3 colheres (sopa) de pinhole torrado, 2 colheres (sopa) de uva-passa branca e 1 pimenta vermelha sem semente cortada em fatias finas. Regue com o molho e espalhe 4 colheres (sopa) de pecorino em lascas.

20 Fusili com espinafre e pecorino

Cozinhe 400 g de fusili em uma panela de água fervente seguindo as instruções da embalagem, até ficar *al dente*. Enquanto isso, aqueça 1 colher (sopa) de azeite em uma frigideira e refogue 2 echalotas em cubos por 3-4 minutos. Junte 150 g de ricota, 12 tomates-cereja cortados em quatro e 100 g de espinafre baby e misture bem. Escorra o macarrão e junte ao molho. Sirva polvilhado com 3 colheres (sopa) de pecorino ralado.

30 Batata assada em camadas com cogumelo

4 porções

manteiga para untar
600 g de batata descascada e cortada em fatias finas
300 g de cogumelo porcini ou portobello em fatias finas
1 cebola grande em fatias finas
125 ml de azeite
3 colheres (sopa) de salsa picada
50 g de farinha de rosca
50 g de parmesão ralado
sal e pimenta-do-reino moída na hora

- Unte um refratário ou assadeira. Cozinhe as batatas em uma panela com água fervente por 2-3 minutos e escorra.
- No refratário untado, faça camadas intercalando as batatas, os cogumelos e a cebola, regando cada camada com azeite e polvilhando com salsa picada.
- Tempere com sal e pimenta-do-reino e polvilhe com a farinha de rosca e o parmesão. Asse em forno preaquecido a 200 °C por 22 minutos até que a batata fique assada e a cobertura, dourada.

10 Cogumelo com alho e purê de batata

Aqueça 3 colheres (sopa) de azeite com 25 g de manteiga em uma frigideira e refogue 3 dentes de alho esmagados por 1-2 minutos. Adicione 300 g de cogumelo portobello fatiado e cozinhe por mais 4-5 minutos. Enquanto isso, aqueça 600 g de purê de batata instantâneo seguindo as instruções da embalagem. Misture 1 colher (sopa) de salsa picada com os cogumelos e sirva sobre o purê. Regue com 1 colher (sopa) de azeite.

20 Salada de batata, vagem e cogumelo

Cozinhe 250 g de batata bolinha em uma panela com água fervente por cerca de 12-15 minutos, até ficarem macias. Adicione 200 g de vagem nos últimos 3 minutos de cozimento. Escorra, passe sob água fria corrente, coloque em uma tigela e misture com 3 colheres (sopa) de azeite. Junte 1 cebola roxa fatiada, 1 colher (sopa) de alcaparra e 125 g de tomate-cereja cortado ao meio. Aqueça 2 colheres (sopa) de azeite em uma frigideira e frite 125 g de pancetta em cubos com 50 g de cogumelo portobello em cubos, até a pancetta ficar crocante. Despeje sobre a salada e sirva.

30 Sopa de tomate assado

4 porções

1 kg de tomate maduro cortado ao meio
4 dentes de alho com casca
2 colheres (sopa) de azeite
1 cebola picada
1 cenoura picada
1 talo de aipo fatiado
1 pimentão vermelho picado
700 ml de caldo de legume quente
sal e pimenta-do-reino moída na hora
4 colheres (sopa) de parmesão ralado, para servir

- Coloque as metades dos tomates e os dentes de alho em uma assadeira. Regue com 1 colher (sopa) de azeite, salpique com pimenta-do-reino e asse em forno preaquecido a 200 °C por 20 minutos.
- Após 10 minutos, aqueça o azeite restante em uma panela e refogue a cebola, a cenoura, o aipo e o pimentão em fogo baixo por 10 minutos.
- Quando o tomate estiver assado, retire os dentes de alho com casca e esprema a polpa na panela com os legumes refogados.
- Despeje o tomate assado com o caldo do cozimento e o caldo de legumes na panela. Usando um processador ou um liquidificador, bata a sopa até ficar homogênea. Tempere a gosto.
- Reaqueça se necessário e sirva polvilhada com parmesão.

10 Torrada rápida com tomate

Toste 4 fatias de pão dos dois lados, esfregue em cada fatia um dente de alho e polvilhe com folhas de manjericão rasgadas. Fatie 4 tomates e coloque por cima do manjericão. Polvilhe com 125 g de muçarela ralada e asse de preferência sob o grill do forno preaquecido até o queijo derreter e dourar.

20 Sopa rápida de tomate

Aqueça 2 colheres (sopa) de azeite em uma panela e refogue 1 cebola picada, 1 cenoura picada, 1 talo de aipo e 700 g de tomate picado por 5 minutos. Junte uma lata de 400 g de tomate pelado picado e 900 ml de caldo de legumes quente. Cozinhe por 10 minutos, retire do fogo e acrescente um punhado de folhas de manjericão. Usando um processador ou um liquidificador, bata a sopa até ficar homogênea. Tempere a gosto e sirva com um fio de azeite.

30 Ricota assada

4 porções
475 g de ricota
raspas de 1 limão-siciliano
4 ovos batidos
40 g de parmesão ralado
1 colher (chá) de folhas frescas de tomilho picadas
625 g de espinafre baby
4 tomates maduros picados
2 colheres (chá) de azeite extravirgem, para servir
pimenta-do-reino moída na hora

- Bata a ricota, as raspas de limão, os ovos, o parmesão e o tomilho em uma tigela e tempere com pimenta-do-reino. Divida em 4 ramequins.
- Asse em forno preaquecido a 190 °C por 20-22 minutos, até crescer e dourar levemente.
- Enquanto isso, cozinhe o espinafre no vapor por 1-2 minutos, até murchar, e divida entre quatro pratos.
- Deixe a ricota assada esfriar por 1-2 minutos. Passe uma faca pelas bordas e vire cada ramequim sobre o espinafre cozido no vapor.
- Espalhe os tomates picados por cima e sirva regado com azeite.

---

10 Molho rápido de ricota

Em uma tigela, misture 2 colheres (sopa) de molho pesto pronto e 2 colheres (sopa) de pinhole torrado com 300 g de ricota. Fatie finamente 2 pimentões vermelhos e 2 amarelos e sirva com o molho.

20 Conchiglioni recheado com ricota

Cozinhe 400 g de conchiglioni em uma panela de água fervente por 10-12 minutos até ficar *al dente*. Enquanto isso, pique 3 tomates sem sementes e misture com 500 g de ricota e 2 colheres (sopa) de manjericão picado. Coloque 1 colher da mistura de ricota em cada concha de massa e transfira-as para uma assadeira untada. Regue com 2 colheres (sopa) de azeite e polvilhe com 2 colheres (sopa) de parmesão ralado. Asse em forno preaquecido por 2-3 minutos, de preferência sob o grill. Sirva com salada verde crocante.

20 Salada de fava com aliche e tomate

4 porções

1,3 kg de fava (fresca ou congelada)
3 colheres (sopa) de azeite
450 g de tomate-cereja cortado ao meio
6 cebolinhas fatiadas
2 dentes de alho finamente fatiados
6 filés de aliche picados
1 colher (sopa) de folhas de manjericão picadas
1 colher (sopa) de salsa picada
50 g de rúcula
2 colheres (sopa) de parmesão em lascas, para servir

- Escalde as favas em uma panela com água fervente por 1 minuto e depois passe-as sob a água fria. Escorra e retire as cascas.
- Aqueça o azeite em uma frigideira e refogue os tomates em fogo médio por 4-5 minutos.
- Adicione a cebolinha e o alho e cozinhe por mais 1-2 minutos e, em seguida, junte as favas.
- Acrescente o aliche e as ervas e cozinhe por mais 1-2 minutos.
- Transfira para uma tigela grande, misture com as folhas de rúcula e sirva coberto com o parmesão em lascas.

---

10 Purê de feijão-de-lima e aliche Aqueça 2 latas de 400 g de feijão-de-lima lavado e escorrido em uma panela de água fervente por 2-3 minutos e escorra. Em um processador ou liquidificador, bata ½ pimenta vermelha picada e 4 filés de aliche. Despeje o feijão-de-lima aquecido e bata até formar uma pasta grossa. Junte um punhado pequeno de salsa picada, o suco de ½ limão-siciliano e 2-3 colheres (sopa) de azeite para fazer um purê grosso. Fica ótimo com cordeiro grelhado.

---

30 Pimentão assado com tomate e aliche Em uma assadeira, coloque 4 pimentões cortados ao meio, com o lado do corte para cima. Corte 8 tomates ao meio e divida entre os pimentões. Cubra cada um com 1-2 filés de aliche, algumas fatias de alho e alguns raminhos de alecrim. Regue com 2-3 colheres (sopa) de azeite, tempere com pimenta-do-reino moída na hora e asse em forno preaquecido a 200 °C por 22-25 minutos.

30 Panqueca recheada com muçarela e espinafre

4 porções

125 g de farinha de trigo
uma pitada de sal
2 ovos
200 ml de leite misturado com 75 ml de água
50 g de manteiga derretida
200 g de espinafre
4 tomates fatiados
400 g de muçarela fatiada
2 colheres (sopa) de parmesão ralado

- Para fazer a massa, peneire a farinha e o sal em uma tigela grande. Faça uma cavidade no meio e quebre os ovos dentro. Misture os ovos com a farinha e adicione aos poucos o leite com água, mexendo sempre.
- Junte metade da manteiga derretida à massa de panqueca e use o restante para untar uma frigideira. Retire o excesso de manteiga da frigideira com papel-toalha.
- Coloque cerca de 2 colheres (sopa) da massa na frigideira e gire-a para cobrir toda a superfície. Depois de cerca de 1 minuto, verifique se a panqueca está cozida por baixo e vire-a para cozinhar do outro lado por apenas alguns segundos.
- Disponha algumas folhas de espinafre, fatias de tomate e de muçarela sobre metade da panqueca. Dobre a outra metade por cima do recheio e pressione levemente. Transfira a panqueca recheada para um refratário e mantenha-a aquecida.
- Repita o procedimento com o restante dos ingredientes. Polvilhe as panquecas com o parmesão ralado e deixe gratinar um pouco, de preferência sob o grill do forno preaquecido, até dourar. Sirva imediatamente.

10 Salada de muçarela e espinafre

Em um prato grande, faça camadas com 100 g de folhas de espinafre, 400 g de muçarela fatiada, 2 tomates-coração-de-boi em fatias finas e 10-12 folhas de manjericão. Polvilhe com 2 colheres (chá) de orégano e 2 colheres (sopa) de pinhole torrado; regue com 3 colheres (sopa) de azeite extravirgem e 1 colher (sopa) de vinagre balsâmico.

20 Pizza de muçarela e espinafre

Coloque 2 bases grandes de pizza pronta em 2 assadeiras e espalhe 500 g de molho de tomate pronto por cima. Aqueça 2 colheres (sopa) de azeite em uma frigideira grande e refogue 2 dentes de alho fatiados e 1 cebola roxa fatiada por 2-3 minutos; depois junte 500 g de espinafre. Continue mexendo até o espinafre murchar completamente. Espalhe o espinafre murcho sobre as bases da pizza, polvilhe com 250 g de muçarela ralada, 1 colher (sopa) de folhas de manjericão picadas e um pouco de pimenta-do-reino moída na hora. Asse em forno preaquecido a 200 °C por 12-15 minutos, até o queijo derreter e dourar.

20 Espetinho italiano de legumes

4 porções
2 pimentões vermelhos picados
1 pimentão amarelo picado
2 abobrinhas em fatias grossas
1 cebola roxa grande cortada em pétalas
2 colheres (sopa) de azeite
2 colheres (sopa) de suco de limão-siciliano
2 colheres (sopa) de folhas de manjericão rasgadas
sal e pimenta-do-reino moída na hora

- Coloque os legumes picados em uma tigela grande e misture com o azeite, o suco de limão, o manjericão, sal e pimenta--do-reino.
- Passe os legumes pelos espetos e asse sob o grill do forno (ou faça um churrasco) em fogo médio por 10-12 minutos, virando de vez em quando, até ficar assado. Sirva imediatamente.

---

10 Legumes grelhados Corte 3 abobrinhas em fatias grossas no sentido do comprimento; 2 pimentões vermelhos e 2 amarelos em fatias grossas. Aqueça uma frigideira até ficar bem quente e deixe fritar os legumes por cerca de 4-5 minutos, até ficarem tostados e começarem a amolecer. Transfira para um prato e salpique 3 colheres (sopa) de parmesão em lascas e 2 colheres (sopa) de folhas de manjericão. Regue com molho italiano para salada e sirva.

30 Espetinho italiano com legumes e massa com ervas Cozinhe 300 g de tagliatelle de acordo com as instruções da embalagem até ficar *al dente*. Escorra o macarrão e misture com 2 colheres (sopa) de folhas de manjericão rasgadas e 2 colheres (sopa) de azeite. Enquanto isso, aqueça 1 colher (sopa) de azeite em uma frigideira e frite 1 pimenta vermelha picada e 1 dente de alho picado por 1 minuto. Em seguida, junte 100 g de cogumelos, 1 pimentão vermelho cortado em pedaços e 1 abobrinha fatiada. Cozinhe por 2-3 minutos. Enfie os legumes em espetos de madeira embebidos em água, junte 125 g de queijo coalho em cubos e 3 cebolinhas em fatias grossas. Asse, de preferência, sob o grill do forno preaquecido por 2-3 minutos, para aquecer completamente. Sirva os espetinhos por cima do macarrão com ervas.

30 Torta mix de cogumelo

4 porções

375 g de massa brisé para torta pronta
10 g de cogumelo porcini seco
2 colheres (sopa) de azeite
1 cebola roxa fatiada
350 g de cogumelos mistos (chanterelle e portobello)
2 ovos batidos
100 g de mascarpone
1 colher (chá) de folhas frescas de tomilho
2 colheres (chá) de mostarda com grãos
40 g de parmesão ralado
pimenta-do-reino moída na hora

- Use a massa para forrar uma assadeira redonda de 23 cm de diâmetro. Leve à geladeira por 5 minutos.
- Coloque o porcini de molho em uma tigela com água fervente o suficiente para cobrir.
- Aqueça o azeite em uma frigideira e refogue a cebola e os cogumelos por 5 minutos, mexendo sempre.
- Bata os ovos, o mascarpone e as folhas de tomilho em uma tigela e tempere com pimenta-do-reino.
- Escorra e pique o porcini e junte aos ovos e cogumelos da frigideira. Misture bem.
- Espalhe a mostarda sobre a massa. Despeje a mistura de cogumelos e nivele com as costas de uma colher.
- Polvilhe com o parmesão ralado e asse em forno preaquecido a 200 °C por 20 minutos, até dourar. Corte em pedaços generosos e sirva quente ou frio.

10 Bruschetta de cogumelo e queijo taleggio Aqueça 2 colheres (sopa) de azeite em uma frigideira e refogue 100 g de cogumelos (portobello e chanterelle) com 1 dente de alho amassado por 4-5 minutos. Junte 1 colher (sopa) de salsa picada. Toste 8 fatias de uma baguete grande dos dois lados. Cubra cada fatia de pão com a mistura de cogumelos e uma fatia de queijo taleggio. Asse, se possível, sob o grill do forno preaquecido por 1-2 minutos, até o queijo borbulhar. Sirva quente.

20 Ragu de cogumelo com polenta Aqueça 2 colheres (sopa) de azeite em uma frigideira e refogue 350 g de cogumelos misturados (portobello e chanterelle) com 2 dentes de alho amassados por 2-3 minutos. Junte 1 colher (sopa) de estragão picado, 1 colher (sopa) de folhas frescas de tomilho e um fio de azeite de trufas (opcional). Ferva 800 ml de água e adicione 200 g de polenta instantânea. Cozinhe, mexendo sempre, por 1 minuto, depois junte 25 g de manteiga e um pouco de sal e pimenta-do-reino moída na hora. Espalhe a polenta em um refratário e despeje a mistura de cogumelos por cima. Distribua 200 g de queijo taleggio picado por cima e asse, de preferência, sob o grill do forno preaquecido, até o queijo derreter e dourar.

20 Salada de tomate, manjericão e muçarela

4 porções

3 colheres (sopa) de azeite extravirgem
suco de ½ limão-siciliano
1 colher (chá) de mel
1 colher (chá) de mostarda
1 dente de alho picado
875 g de tomate maduro
420 g de muçarela de búfala fatiada
10-12 folhas de manjericão picadas
pimenta-do-reino moída na hora

- Em uma tigela, misture o azeite, o suco de limão, o mel, a mostarda, o alho e um pouco de pimenta-do-reino.
- Coloque os tomates em uma tigela grande e despeje água fervente por cima. Aguarde 30 segundos, escorra e mergulhe em água fria. Retire a pele e fatie os tomates.
- Intercale as fatias de tomate com as de muçarela e as folhas de manjericão rasgadas em um prato ou uma tigela grande.
- Regue com o molho e aguarde 5 minutos antes de servir.

10 Salada rápida de tomate e muçarela

Corte 875 g de tomate maduro em fatias finas e, em um prato, intercale com 420 g de muçarela de búfala fatiada e 10-12 folhas de manjericão. Regue com azeite e vinagre balsâmico e sirva.

30 Torta de tomate e muçarela

Abra uma massa folhada pronta de 300 g em um quadrado de 25 cm sobre uma superfície levemente enfarinhada. Transfira para uma assadeira e desenhe um quadrado com uma linha a cerca de 2,5 cm da borda. Asse no forno preaquecido a 200 °C por 10 minutos, até dourar. Fatie 600 g de tomate maduro e 210 g de muçarela de búfala e coloque-os ligeiramente sobrepostos na parte central, deixando a borda livre. Complete com 10-12 folhas de manjericão e polvilhe com 2 colheres (sopa) de pinhole. Asse por mais 10-12 minutos até o queijo derreter e a massa dourar. Sirva com 60 g de rúcula temperada com 2 colheres (sopa) de azeite e 1 colher (sopa) de vinagre balsâmico.

10 Salada de pera, nozes e gorgonzola

4 porções

3 colheres (sopa) de azeite extravirgem
1 colher (chá) de mostarda de Dijon
1 colher (sopa) de vinagre de vinho branco
1 colher (chá) de açúcar refinado
40 g de nozes
1 radicchio com folhas separadas
50 g de rúcula
1 pé de alface-romana com as folhas separadas e rasgadas
2 peras fatiadas
175 g de gorgonzola esfarelado

- Misture o azeite, a mostarda, o vinagre e o açúcar em uma tigela pequena ou copo medidor.
- Torre as nozes em uma frigideira seca até dourar, para reavivar o sabor.
- Misture o radicchio, a rúcula e as folhas de alface-romana em uma tigela. Divida entre 4 pratos e espalhe as fatias de pera, o gorgonzola esfarelado e as nozes.
- Regue com o molho e sirva.

20 Gorgonzola com pera quente ao marsala

Gorgonzola com pera quente ao marsala Coloque 4 fatias de 100 g de gorgonzola em um prato. Retire o miolo de 2 peras e corte-as em oito pedaços cada uma. Aqueça 1 colher (sopa) de azeite em uma frigideira e refogue as peras por 3-4 minutos de cada lado. Bata 2 colheres (sopa) de mel com 2 colheres (sopa) de vinho marsala e despeje a mistura na frigideira, deixando ferver e engrossar por alguns minutos. Usando uma escumadeira, retire as peras e coloque-as sobre o gorgonzola. Frite 60 g de nozes no xarope restante da frigideira. Regue as peras e o gorgonzola com a calda com nozes e sirva.

30 Pizza de pera, nozes e gorgonzola

Aqueça 1 colher (sopa) de azeite em uma frigideira e refogue 1 cebola roxa grande fatiada por cerca de 4-5 minutos, até ficar macia. Junte 2 peras sem miolo fatiadas. Misture 2 colheres (sopa) de vinagre balsâmico e um pouco de pimenta-do-reino moída na hora e cozinhe até a cebola começar a caramelizar. Cubra 4 bases de pizza pronta com 2 colheres (sopa) de molho de tomate pronto e divida a mistura de pera entre as bases. Cubra cada uma com 200 g de queijo gorgonzola esfarelado e 60 g de nozes. Asse em forno preaquecido a 200 °C por 10-12 minutos.

20 Bruschetta de feijão borlotti e pimentão vermelho assado

4 porções

1 baguete grande cortada em 8 fatias
3 colheres (sopa) de azeite
1 dente de alho
400 g de feijão borlotti* enlatado, lavado e escorrido
3 cebolinhas fatiadas
100 g de pimentão vermelho assado em conserva, drenado e em fatias finas
6 folhas de manjericão picadas bem fino
sal e pimenta-do-reino moída na hora

- Coloque as fatias de baguete em uma assadeira e regue com 2 colheres (sopa) de azeite. Asse em forno preaquecido, de preferência sob o grill, por 2-3 minutos de cada lado, até tostar e dourar.
- Esfregue cada fatia de pão com o dente de alho.
- Coloque o feijão drenado e a cebolinha em uma tigela e amasse um pouco com um garfo.
- Junte o pimentão, o manjericão, o azeite restante e um pouco de sal e pimenta-do-reino.
- Coloque a mistura de feijão sobre as fatias de baguete tostadas e sirva imediatamente.

* Caso não encontre, use feijão-branco enlatado.

---

10 Salada rápida de feijão

Em uma tigela grande, misture 400 g de feijão borlotti* enlatado, lavado e escorrido, 3 cebolas em fatias, 100 g de pimentão vermelho assado em conserva escorrido e picado, 3 tomates picados, 4-5 folhas de manjericão rasgadas, 2 colheres (sopa) de azeite e 1 colher (sopa) de vinagre balsâmico.

30 Salada de feijão e pimentão vermelho assado

Salada de feijão e pimentão vermelho assado Corte 4 pimentões vermelhos ao meio e asse-os, com o lado do corte para baixo, se possível sob o grill do forno preaquecido, até a pele ficar tostada. Transfira para uma tigela grande, cubra com filme de PVC e deixe até esfriar o suficiente para manusear. Enquanto isso, bata 3 colheres (sopa) de azeite extravirgem com o suco de ½ limão-siciliano, 1 colher (chá) de mostarda de Dijon e ½ colher (chá) de açúcar. Misture 1 pé de alface-romana com as folhas rasgadas, 1 cebola roxa pequena descascada e em fatias finas, 150 g de tomate-cereja cortado ao meio, 2 colheres (sopa) de salsa picada grosseiramente e 400 g de feijão borlotti* enlatado, lavado e escorrido. Quando os pimentões estiverem frios o suficiente, retire a pele tostada e rasgue em tiras. Junte com os outros ingredientes da salada. Asse 4 fatias de queijo de cabra com casca, se possível sob o grill do forno quente por 3-4 minutos, até ficar levemente dourado e macio. Divida a salada entre 4 pratos ou tigelas rasas e complete cada uma com uma fatia grelhada de queijo de cabra. Regue com o molho e sirva polvilhado com 1 colher (sopa) de orégano.

20 Arancini*

4 porções

700 g de risoto de espinafre frio, seja de sobra ou comprado pronto
100 g de muçarela em cubos
2 ovos batidos
150 g de pão amanhecido ralado
750-900 ml de óleo de amendoim
rúcula, para servir

- Com as mãos molhadas, pegue um punhado de risoto frio e enrole, formando uma bolota. Coloque um cubinho de muçarela no meio, apertando o arroz em volta para escondê-la. Repita com o risoto e a muçarela restantes, para fazer cerca de doze bolotas.
- Coloque o ovo batido em uma tigela rasa e o pão ralado em outra. Mergulhe cada bolinho primeiro no ovo e depois nas migalhas de pão, cobrindo completamente.
- Despeje o óleo de amendoim em uma fritadeira, ou panela grande, e aqueça até chegar a 180-190 °C, ou até um cubo de pão dourar em 30 segundos ao mergulhar no óleo. Em lotes, frite os arancini por 3-4 minutos, até dourar. Retire com uma escumadeira e escorra em papel-toalha.
- Sirva quente com folhas de rúcula.

* Bolinho de arroz à moda siciliana.

10 Salada de arroz

Misture delicadamente 400 g de arroz de grão longo cozido (pode ser amanhecido), 250 g de aspargo enlatado, 1 pimentão vermelho picado, 2 colheres (sopa) de tomate seco, raspas da casca e suco de 1 limão-siciliano, 2 colheres (sopa) de azeite extravirgem, 250 g de minimuçarela em bolinhas cortadas ao meio e um punhado generoso de folhas de manjericão picadas. Tempere com sal e pimenta-do-reino moída na hora e sirva.

30 Arroz com frango

Aqueça 2 colheres (sopa) de azeite em uma panela e doure 2 peitos de frango sem pele cortados em tiras por 3-4 minutos. Acrescente 2 cebolas roxas em fatias grossas, 3 dentes de alho fatiados e 3 pimentões vermelhos cortados em fatias grossas, e cozinhe por mais 4-5 minutos. Junte 200 g de arroz de grão longo, 1 lata de 400 g de tomate pelado em lata picado e 450 ml de caldo de galinha. Leve à fervura e depois transfira para um refratário. Asse em forno preaquecido a 200 °C por 15-18 minutos, até o caldo ser absorvido e o arroz e o frango ficarem cozidos. Sirva polvilhado com 2 colheres (sopa) de parmesão ralado.

30 Sopa de repolho

4 porções

4 colheres (sopa) de azeite
1 cebola picada
2 dentes de alho amassados
½ colher (chá) de semente de erva-doce
1 repolho verde
1 batata cortada em cubos
1 litro de caldo de legumes
75 g de parmesão ralado, mais 1 colher (sopa), para servir
sal e pimenta-do-reino moída na hora
pão crocante, para servir

- Aqueça 2 colheres (sopa) de azeite em uma panela e refogue a cebola, o alho e as sementes de erva-doce por 3-4 minutos.
- Rasgue quatro folhas do repolho e reserve. Corte finamente o repolho restante, adicione à panela com a batata em cubos e refogue por 3-4 minutos. Junte o caldo.
- Cozinhe por 10 minutos, até a batata ficar macia. Junte o parmesão ralado.
- Usando um processador ou um liquidificador, bata a sopa até ficar homogênea. Tempere a gosto.
- Aqueça o restante do azeite e refogue o repolho reservado. Cubra cada tigela de sopa com o repolho refogado.
- Sirva polvilhado com parmesão ralado e fatias de pão crocante para acompanhar.

10 Salada coleslaw com molho italiano

Misture 3 colheres (sopa) de azeite extravirgem, 1 colher (sopa) de vinagre de vinho branco, 1 colher (sopa) de salsa picada, ½ colher (sopa) de suco de limão-siciliano, 1 dente de alho amassado, ½ colher (chá) de manjericão seco e uma pitada de orégano seco. Em uma tigela grande, pique ½ repolho verde, 2 cenouras e ½ cebola e misture com o molho para servir.

20 Arroz com repolho

Aqueça 3 colheres (sopa) de azeite em uma frigideira e refogue 1 cebola picada por 2-3 minutos. Misture 450 g de repolho finamente picado e refogue, mexendo sempre, até murchar. Misture 250 g de arroz arbório e 1 litro de caldo de carne. Deixe ferver e cozinhe por 15-16 minutos, até o arroz ficar *al dente*. Misture 25 g de manteiga e 40 g de parmesão ralado, tempere e sirva.

30 Berinjela com queijo derretido

4 porções

2 berinjelas cortadas ao meio no sentido do comprimento
4 colheres (sopa) de azeite
4 tomates fatiados
200 g de muçarela fatiada
um punhado pequeno de folhas de manjericão
2 colheres (sopa) de pinhole torrado
pimenta-do-reino moída na hora
salada verde crocante, para servir

- Coloque as metades da berinjela em uma assadeira, regue com o azeite e asse em forno preaquecido a 200 °C por 20 minutos, até ficar macia.
- Retire a berinjela do forno, arrume as fatias de tomate e de muçarela por cima e leve ao forno por mais 5 minutos, até o queijo derreter.
- Cubra com as folhas de manjericão e os pinholes, tempere com pimenta-do-reino e sirva com salada verde.

---

10 Pasta de berinjela e bruschetta de cebola caramelizada Aqueça 1 colher (sopa) de azeite em uma frigideira e refogue 1 cebola fatiada em fogo baixo por 6 minutos, mexendo de vez em quando, até começar a caramelizar. Polvilhe ½ colher (chá) de açúcar e 1 colher (chá) de vinagre balsâmico e cozinhe por mais 1 minuto. Toste 8 fatias de pão ciabatta dos dois lados e passe uma pasta de berinjela comprada pronta. Cubra com a cebola caramelizada, para servir.

20 Massa com berinjela e queijo de cabra Cozinhe 400 g de macarrão no formato da sua preferência em uma panela de água fervente, seguindo as instruções da embalagem, até ficar *al dente*. Enquanto isso, aqueça 1 colher (sopa) de azeite em uma frigideira e frite 1 cebola picada e 2 dentes de alho fatiados por 3-4 minutos. Junte 1 berinjela picada e cozinhe por mais 4-5 minutos. Despeje uma lata de 400 g de tomate pelado picado e cozinhe por mais 3-4 minutos. Escorra o macarrão e junte ao molho com 100 g de queijo de cabra esfarelado e um punhado pequeno de folhas de manjericão rasgadas; misture e sirva.

30 Erva-doce assada com gorgonzola

4 porções

4 bulbos de erva-doce
3 colheres (sopa) de azeite
200 g de gorgonzola
pimenta-do-reino moída na hora

- Apare os bulbos de erva-doce e corte-os na vertical.
- Aqueça o azeite em uma frigideira, refogue a erva-doce por 2-3 minutos e transfira para um refratário.
- Quebre o gorgonzola em pedaços e espalhe-os sobre a erva-doce.
- Asse em forno preaquecido a 200 °C por 25 minutos, até a erva-doce ficar macia e ligeiramente corada nas bordas.

10 Coleslaw rápida de erva-doce

Misture 2 bulbos de erva-doce, 2 cenouras grandes e 1 cebola pequena, tudo fatiado bem fino, com ½ colher (sopa) de salsa picada, 1 colher (sopa) de maionese e o suco de ½ limão-siciliano.

20 Torrada de gorgonzola com salada de laranja e erva-doce

Descasque e separe os gomos de 2 laranjas em uma tigela para não perder o suco. Misture o suco da laranja com 3 colheres (sopa) de azeite extravirgem, 2 colheres (chá) de mel e 1 colher (chá) de mostarda com grão. Doure 3 colheres (sopa) de semente de abóbora em uma frigideira. Misture os gomos da laranja com 2 bulbos de erva-doce fatiados fino, 50 g de agrião e o molho. Para as torradas, corte uma baguete em 8 fatias e doure de um lado, se possível, sob o grill do forno preaquecido, depois vire e cubra com 175 g de gorgonzola. Asse até o queijo ficar dourado e borbulhando. Divida a salada entre 4 pratos e cubra cada um com 2 torradas de gorgonzola. Espalhe as sementes de abóbora tostadas por cima antes de servir.

20 Crostini de mix de cogumelo

4 porções

2 baguetes finas
4 colheres (sopa) de azeite
2 dentes de alho, 1 inteiro e 1 amassado
1 echalota cortada em cubos
125 g de cogumelos mistos picados (portobello e chanterelle)
1 colher (sopa) de salsa picada
pimenta-do-reino moída na hora

- Corte as baguetes em fatias diagonais com cerca de 2,5 cm de espessura. Coloque em uma assadeira e pincele com 2 colheres (sopa) de azeite.
- Asse em forno preaquecido a 200 °C por 4-5 minutos, até dourar. Esfregue cada fatia com o dente de alho inteiro e mantenha-as aquecidas.
- Esquente o azeite restante em uma frigideira e refogue a cebola e o alho amassado por 3-4 minutos. Junte os cogumelos e deixe cozinhar até liberarem o caldo. Misture a salsa picada e tempere com pimenta-do-reino.
- Coloque a mistura de cogumelos sobre os crostinis e sirva.

---

10 Omelete de cogumelo silvestre Aqueça 1 colher (sopa) de azeite e 20 g de manteiga em uma frigideira para omelete e refogue ½ cebola pequena fatiada por 1-2 minutos. Junte 125 g de cogumelo misto (portobello e chanterelle) e cozinhe por 2-3 minutos. Despeje 6 ovos batidos com ½ colher (sopa) de estragão picado, inclinando a frigideira de vez em quando para o ovo líquido atingir as bordas e cozinhar. Quando estiver quase cozido, dobre cuidadosamente um dos lados da omelete sobre o outro e deslize para um prato quente. Divida em duas partes e sirva. Repita com os mesmos ingredientes para fazer outra omelete e dividi-la em dois. Sirva com uma salada verde.

---

30 Massa com aspargo e cogumelo Cozinhe 400 g de macarrão em uma panela de água fervente, seguindo as instruções da embalagem, até ficar *al dente*. Enquanto isso, aqueça 1 colher (sopa) de azeite em uma frigideira e refogue 400 g de aspargo limpo e cortado pela metade por 3-4 minutos. Despeje 4 colheres (sopa) de caldo de legumes, ½ colher (chá) de pimenta-calabresa e 200 g de cogumelos mistos. Cozinhe por 4-5 minutos. Escorra o macarrão e misture delicadamente com os aspargos. Sirva polvilhado com 2 colheres (sopa) de parmesão ralado.

30 Creme de abóbora e maçã

4 porções

2 tomates sem pele picados
2 colheres (sopa) de azeite
1 cebola picada
600 g de abóbora descascada cortada em pedaços
1 maçã verde descascada, sem o miolo e picada
900 ml de caldo de legumes
100 ml de creme de leite fresco
1 colher (sopa) de salsa picada fino
sal e pimenta-do-reino moída na hora

- Coloque os tomates em uma tigela grande e despeje água fervente por cima. Aguarde 30 segundos, escorra e passe pela água fria. Retire a pele e pique.
- Aqueça o azeite em uma panela grande e refogue a cebola por 3-4 minutos.
- Adicione a abóbora e mexa para revesti-la com a cebola. Junte a maçã e os tomates picados.
- Despeje o caldo, leve à fervura e deixe borbulhar, coberto, por 20 minutos, até a abóbora ficar macia.
- Deixe a sopa esfriar um pouco antes de despejar o creme de leite. Usando um processador ou um liquidificador, bata a sopa até ficar homogênea.
- Aqueça levemente, se necessário, tempere com sal e pimenta-do-reino e sirva imediatamente, polvilhando com a salsa picada.

---

10 Homus de abóbora

Misture 200 g de purê de abóbora em lata*, 3 colheres (sopa) de tahine, 1-2 dentes de alho amassados, 1 lata com 400 g de grão-de-bico lavado e escorrido, 1 colher (sopa) de suco de limão-siciliano e ½ colher (chá) de cominho em um processador ou liquidificador. Aos poucos, adicione o azeite até obter a consistência que você preferir. Junte sal e pimenta-do--reino moída na hora a gosto e sirva com legumes crus.

* Como esse produto é importado, faça com as sobras do dia anterior

20 Salada de abóbora e grão-de-bico

Corte 1 kg de abóbora em cubos pequenos. Misture com 1 dente de alho amassado, ½ colher (chá) de cominho em pó e 2 colheres (sopa) de azeite e asse em forno preaquecido a 200 °C por 15 minutos. Misture a abóbora assada com 400 g de grão-de-bico enlatado lavado e escorrido, 1 cebola roxa pequena cortada em cubos, 150 g de queijo feta esfarelado, 50 g de tomate seco e 50 g de rúcula. Sirva com molho italiano para salada.

20 Radicchio grelhado com pancetta

4 porções

2 colheres (sopa) de azeite
½ colher (sopa) de vinagre balsâmico
3 dentes de alho amassados
1 colher (sopa) de alecrim picado
2 pés de radicchio cortados em quatro
8 fatias de pancetta
pimenta-do-reino moída na hora
pecorino em lascas, para servir

- Misture o azeite, o vinagre, o alho e o alecrim em uma tigela grande não metálica e tempere com a pimenta-do-reino. Junte o radicchio e misture bem. Deixe descansar por 10 minutos.
- Enrole uma fatia de pancetta em cada quarto de radicchio.
- Asse, de preferência, sob o grill do forno preaquecido, ou em uma churrasqueira quente por 5-6 minutos, virando ocasionalmente, até as bordas ficarem crocantes e um pouco tostadas.
- Sirva em uma travessa regado com a marinada restante e salpicado com lascas de pecorino.

---

10 Salada de radicchio

Doure 50 g de pancetta em cubos sob o grill do forno preaquecido até ficar crocante. Enquanto isso, misture 1 pé de radicchio em fatias finas, 2 cenouras e 1 bulbo de erva-doce cortados em palitinhos, 2 colheres (sopa) de maionese, o suco de ½ limão-siciliano e um pouco de sal e pimenta-do-reino moída na hora. Polvilhe com a pancetta crocante, para servir.

30 Risoto de radicchio

Aqueça 2 colheres (sopa) de azeite em uma panela e refogue 2 cebolas picadas fino com 50 g de pancetta em cubos por 3-5 minutos. Junte 1 pé de radicchio cortado em tiras e cozinhe por 2-3 minutos. Adicione 300 g de arroz arbório e mexa até a ponta dos grãos ficar translúcida. Adicione 200 ml de vinho branco e cozinhe por 1-2 minutos, até tudo ser absorvido. Junte 1 concha de um total de 750 ml de caldo de galinha quente e mexa continuamente, até tudo ser absorvido. Repita com o caldo quente restante, colocando uma concha de cada vez até o arroz ficar *al dente*. Retire do fogo e misture 25 g de manteiga e 25 g de parmesão ralado. Sirva polvilhado com mais 2-3 colheres (sopa) de parmesão ralado.

30 Cebola recheada com queijo

4 porções

4 cebolas grandes descascadas
1 colher (sopa) de azeite
150 g de espinafre
100 g de ricota
1 gema
1 colher (chá) de folhas frescas de tomilho picadas
25 g de queijo fontina
40 g de parmesão ralado
25 g de manteiga

Para servir

50 g de folhas de rúcula
3 colheres (sopa) de creme de balsâmico

- Escalde as cebolas em água fervente por 5 minutos. Escorra e deixe esfriar por 5 minutos.
- Enquanto isso, aqueça 1 colher (sopa) de azeite em uma panela grande, refogue o espinafre até murchar e depois pique grosseiramente. Transfira para uma tigela com a ricota, a gema, o tomilho, o fontina e 20 g de parmesão ralado.
- Corte uma tampa de cada cebola e remova o miolo com um garfo.
- Coloque a mistura de queijo dentro das cebolas e transfira para uma assadeira. Polvilhe com o parmesão ralado restante, coloque um cubo de manteiga por cima e asse em forno preaquecido a 200 °C por 15 minutos, até o queijo ficar dourado e borbulhando.
- Sirva sobre folhas de rúcula regadas com creme de balsâmico.

10 Bruschetta de queijo e cebola

Aqueça 1 colher (sopa) de azeite em uma frigideira e refogue 1 cebola grande fatiada por 2-3 minutos, até ficar macia. Misture ½ colher (chá) de açúcar e 1 colher (chá) de vinagre balsâmico e cozinhe por mais 1-2 minutos. Toste 8 fatias de pão ciabatta dos dois lados. Cubra cada uma com a cebola caramelizada e 100 g de gorgonzola esfarelado. Asse, se possível, sob o grill do forno preaquecido até o queijo ficar dourado e borbulhante.

20 Sopa de cebola

Aqueça 2 colheres (sopa) de azeite em uma panela e refogue 4 dentes de alho amassados, 4 cebolas roxas fatiadas, 2 cebolas brancas fatiadas, 4 echalotas fatiadas e 3-4 folhas de sálvia, por 10-12 minutos coberta com tampa, mexendo ocasionalmente. Polvilhe com 1 colher (chá) de açúcar e 1 colher (chá) de vinagre balsâmico e tempere bem com sal e pimenta-do-reino moída na hora. Despeje 1,8 litro de caldo de legumes ou de galinha quente e cozinhe por 4-5 minutos. Sirva com torradas cobertas com queijo.

30 Panzanella

4 porções
300 g de tomate maduro
125 g de pão ciabatta
16 azeitonas sem caroço
3 colheres (chá) de alcaparra
½ cebola roxa em fatias finas
300 g de tomate-cereja, vermelho e amarelo, cortado ao meio
6-8 folhas de manjericão
1 colher (sopa) de vinagre de vinho tinto
2 colheres (sopa) de azeite

- Coloque os tomates em uma peneira sobre uma tigela. Com as costas de uma colher, esmague-os bem para liberarem o suco na tigela.
- Rasgue o pão grosseiramente e misture-o ao suco de tomate. Aguarde 15 minutos, depois transfira para um prato de servir.
- Espalhe o restante dos ingredientes sobre o pão e regue com o vinagre de vinho tinto e o azeite antes de servir.

---

10 Torrada de ciabatta com tomate Toste 8 fatias de ciabatta dos dois lados e depois esfregue cada fatia com um dente de alho. Cubra as fatias com 300 g de tomate picado e 2 colheres (chá) de alcaparra. Polvilhe com folhas de manjericão picadas e regue com azeite.

20 Salada de tomate com croûton de ciabatta Corte um pão ciabatta em cubos. Aqueça 2 colheres (sopa) de azeite em uma frigideira e frite os cubos de pão até dourarem. Escorra em papel-toalha. Misture os croûtons com 300 g de tomate maduro picado, 16 azeitonas pretas sem caroço, ½ cebola roxa fatiada, 300 g de tomate-cereja vermelho e amarelo, 6-8 folhas de manjericão rasgadas e 60 g de folhas de espinafre baby. Regue com 2 colheres (sopa) de azeite e 1 colher (sopa) de vinagre de vinho tinto, para servir.

10 Crocante de parmesão

4 porções

150 g de parmesão ralado

- Forre 2 ou 3 assadeiras grandes com papel-manteiga. Coloque um aro de metal de 5 cm na assadeira e distribua 1 colher (chá) bem cheia de parmesão ralado dentro do aro ou cortador de biscoito para fazer um disco.
- Remova cuidadosamente o aro e repita com o queijo restante, deixando 5 mm entre cada disco.
- Asse em forno preaquecido a 160 °C por 8 minutos, até dourar.
- Usando uma espátula, transfira os crocantes para uma grade, para esfriar.
- Guarde em um recipiente hermético até a hora de consumir.

---

20 Scone de parmesão Coloque 225 g de farinha de trigo com fermento, 40 g de manteiga e 20 g de parmesão ralado em um processador e bata até obter uma farofa fina. Adicione 150 ml de leite e bata até a massa ficar homogênea. Vire sobre uma superfície levemente enfarinhada e enrole com cuidado ou pressione até a espessura de 2 cm. Corte 8 bolinhos usando um cortador de biscoito de 6 cm. Coloque-os em uma assadeira, polvilhe com 10 g de parmesão ralado e asse em forno preaquecido a 220 °C por 12-15 minutos, até dourar.

---

30 Biscoito de parmesão e tomilho Coloque 75 g de manteiga em temperatura ambiente em uma tigela e adicione 85 g de farinha de trigo, 85 g de parmesão ralado, 2 colheres (chá) de azeite e 1 ½ colher (chá) de folhas de tomilho fresco picadas. Com as mãos, misture tudo até formar uma massa. Abra-a sobre uma superfície levemente enfarinhada até a espessura de 5 mm e corte cerca de 18-20 discos usando um cortador de biscoito de 4-5 cm. Coloque os discos em uma assadeira e leve à geladeira por 15 minutos. Asse em forno preaquecido a 180 °C por 7-8 minutos, até ficar levemente dourado.

20 Sopa de fava e hortelã

4 porções

550 g de fava pronta descongelada
2 colheres (sopa) de azeite
2 echalotas descascadas e cortadas em cubos
1 cenoura grande descascada e cortada em cubos
1 talo de aipo em cubos
900 ml de caldo de legumes
½ colher (sopa) de folhas de hortelã picadas
sal e pimenta-do-reino moída na hora
4 colheres (sopa) de creme de leite fresco, para servir

- Escalde as favas em água fervente por 3-4 minutos, depois escorra e passe pela água fria. Retire as peles duras.
- Enquanto isso, aqueça o azeite em uma panela e refogue as echalotas, a cenoura e o aipo por 5-6 minutos. Misture as favas sem pele.
- Despeje o caldo, leve à fervura e cozinhe por 8-10 minutos.
- Misture a hortelã e, usando um processador ou um liquidificador, bata a sopa até ficar homogênea.
- Tempere a gosto e sirva com uma colherada de creme de leite.

---

10 Patê de fava

Escalde 450 g de fava em água fervente por 3-4 minutos, escorra e passe pela água fria. Retire as peles e bata em um processador ou liquidificador com 1 cebola roxa picada e um punhado de folhas de hortelã. Misture 350 g de creme de leite fresco, o suco de ½ limão-siciliano e um pouco de sal e pimenta-do-reino moída na hora. Sirva com fatias de pão ciabatta tostadas.

30 Salada de fava, ervilha e hortelã

Escalde 300 g de fava e 200 g de ervilha em uma panela de água fervente por 3-4 minutos, depois escorra e passe por água fria. Retire as peles duras das favas. Aqueça 2 colheres (sopa) de azeite extravirgem em uma frigideira e frite dois punhados de pão cortado em cubos, 2 dentes de alho esmagados e 2 colheres (chá) de folhas de manjericão picadas, até ficarem dourados. Escorra em papel-toalha. Aqueça uma frigideira com grelha até ficar bem quente e grelhe 250 g de queijo de coalho fatiado até aparecer as marcas da grelha dos dois lados. Em uma tigela, bata 3 colheres (sopa) de azeite extravirgem com 1 colher (sopa) de vinagre balsâmico, 1 colher (chá) de mostarda com grão e ½ colher (chá) de mel. Misture as favas e as ervilhas com 2 colheres (sopa) de folhas de hortelã picadas, 50 g de rúcula e os croûtons. Cubra com o queijo de coalho grelhado e regue com o molho, para servir.

20 Sopa de grão-de-bico e castanha-portuguesa

4 porções

1 colher (sopa) de azeite
2 talos de aipo picados
2 dentes de alho picados
1 pimenta vermelha, sem semente e picada
1 colher (chá) de alecrim picado
400 g de tomate pelado enlatado picado
400 g de castanha-portuguesa cozida (ou embalada a vácuo)
400 g de grão-de-bico enlatado, lavado e escorrido
400 ml de caldo de legumes
sal e pimenta-do-reino

Para servir

2 colheres (sopa) de azeite
2 colheres (sopa) de parmesão ralado

- Aqueça o azeite em uma panela e refogue o aipo, o alho, a pimenta e o alecrim por 2-3 minutos.
- Junte o tomate, a castanha, o grão-de-bico e o caldo e cozinhe por 8-10 minutos.
- Retire um terço da sopa e bata, usando um mixer, um processador ou um liquidificador, para dar uma consistência mais grossa. Volte à panela, tempere com sal e pimenta-do-reino moída na hora. Sirva a sopa com um fio de azeite e polvilhada com parmesão ralado.

---

10 Salada de grão-de-bico, castanha-portuguesa e queijo feta

Escorra e lave 400 g de grão-de-bico enlatado e misture com ½ pimenta vermelha picada, 2 pés de alface baby rasgados, 100 g de tomate-cereja cortado em quatro, 50 g de castanha-portuguesa cozida picada, 1 pimentão cortado em cubos e 200 g de queijo feta esfarelado. Misture com 2-3 colheres (sopa) de molho italiano para salada e sirva com pão crocante.

30 Costeleta de porco com molho de castanha-portuguesa

Aqueça 2 colheres (sopa) de azeite em uma frigideira e frite 100 g de pancetta em cubos por 4-5 minutos. Junte 50 ml de vinho tinto e 200 g de castanha-portuguesa cozida picada. Despeje 150 ml de caldo de galinha e cozinhe por 10-12 minutos, até as castanhas ficarem macias e quebradiças. Bata o molho em um processador ou liquidificador e tempere a gosto. Enquanto isso, cozinhe 125 g de batata picada e 150 g de batata-doce em uma panela de água fervente até ficarem macias. Junte 400 g de grão-de-bico enlatado, lavado e escorrido, nos 2 últimos minutos de cozimento, para aquecer bem. Escorra e amasse grosseiramente com um garfo. Asse 4 costeletas de porco de 150 g cada uma sob o grill do forno quente preaquecido por 3-4 minutos de cada lado e sirva sobre as batatas amassadas com colheradas do molho de castanha por cima, salpicado com folhas de sálvia rasgadas.

30 Berinjela à parmigiana

4 porções

3 colheres (sopa) de azeite
2 berinjelas fatiadas
1 cebola cortada em cubos
2 dentes de alho amassados
400 g de tomate pelado enlatado picado
1 colher (chá) de orégano
200 g de muçarela ralada
2 tomates-coração-de-boi em fatias finas
6 colheres (sopa) de parmesão ralado

- Aqueça 2 colheres (sopa) de azeite em uma frigideira e frite as fatias de berinjela em lotes até dourar.
- Aqueça o azeite restante na frigideira e refogue a cebola e o alho por 3-4 minutos. Junte o tomate pelado e o orégano.
- Em um refratário, disponha as fatias de berinjela em camadas com a muçarela e o tomate-coração-de-boi.
- Despeje o molho de tomate por cima e polvilhe com o parmesão ralado. Asse no forno preaquecido a 200 °C por 15-18 minutos. Sirva quente.

---

10 Gratinado de abobrinha e tomate Aqueça 2 colheres (sopa) de azeite em uma panela e salteie 3 abobrinhas fatiadas até dourar. Em um refratário, arrume as abobrinhas em camadas com 4 tomates fatiados, cerca de 6-8 folhas de manjericão rasgadas e 200 g de muçarela ralada. Polvilhe com 2 colheres (sopa) de farinha de rosca e 4 colheres (sopa) de parmesão ralado. Asse em forno preaquecido a 220 °C por 5 minutos.

20 Rolinho de berinjela recheado com ricota Aqueça uma frigideira com fundo grosso. Quando estiver quente, coloque as fatias de 2 berinjelas cortadas no sentido do comprimento por 2-3 minutos de cada lado, até dourar. Misture 150 g de ricota com 150 g de muçarela picada, 2 colheres (chá) de folhas de manjericão picadas e 2 cebolinhas fatiadas. Coloque 1 colher (chá) da mistura de ricota na ponta de cada fatia de berinjela, enrole cada uma e coloque com a ponta virada para baixo em um refratário. Despeje 300 g de molho de tomate pronto por cima e asse em forno preaquecido a 190 °C por 12-15 minutos, até o queijo começar a derreter. Sirva com salada de rúcula.

20 Abobrinha frita com ovo poché

4 porções

4 abobrinhas raladas
4 colheres (sopa) de farinha de trigo com fermento
40 g de parmesão ralado
2 colheres (sopa) de azeite
4 ovos
pimenta-do-reino moída na hora

- Em uma tigela, misture a abobrinha, a farinha e o parmesão.
- Aperte, formando bolas do tamanho de uma noz, depois achate-as suavemente.
- Aqueça o azeite em uma frigideira funda e doure os bolinhos por 2-3 minutos de cada lado (faça em lotes se a frigideira não for grande o suficiente).
- Leve uma panela grande de água à fervura em fogo baixo e, com uma colher grande, mexa a água para fazer um redemoinho. Quebre 2 ovos cuidadosamente no meio do redemoinho e cozinhe por 3 minutos. Retire com uma escumadeira e mantenha quente. Repita com os ovos restantes.
- Sirva os bolinhos cobertos com os ovos poché e polvilhados com pimenta-do-reino.

10 Abobrinha grelhada com hortelã e limão

Com um descascador de legumes, fatie 4 abobrinhas, pincele cada fatia com azeite e salpique 2 dentes de alho amassados. Aqueça uma frigideira com fundo grosso e grelhe as fatias por 2-3 minutos de cada lado, até tostar (ou use churrasqueira quente). Coloque em uma travessa e espalhe por cima as raspas e o suco de 1 limão-siciliano e 1 pimenta-malagueta verde finamente picada. Misture delicadamente. Para servir, regue com 1 colher (sopa) de azeite e polvilhe com 2 colheres (sopa) de folhas de hortelã picadas e 20 g de lascas de parmesão.

30 Sopa de abobrinha e parmesão

Aqueça 3 colheres (sopa) de azeite em uma panela e refogue 1 kg de abobrinha picada, 2 dentes de alho picados e um punhado pequeno de folhas de manjericão picadas. Despeje 750 ml de caldo de legumes e deixe ferver. Cozinhe por 8-10 minutos e reserve. Misture 4 colheres (sopa) de creme de leite. Com um processador ou um liquidificador, bata a sopa até ficar homogênea. Misture 50 g de parmesão ralado, tempere com pimenta-do-reino moída na hora e reaqueça. Sirva com pão crocante.

30 Cogumelo recheado

4 porções

2 colheres (sopa) de azeite
2 echalotas bem picadinhas
1 dente de alho amassado
175 g de espinafre
175 g de arroz basmati cozido
25 g de gorgonzola picado
4 cogumelos portobello grandes, sem o caule
2 colheres (sopa) de parmesão ralado
salada verde crocante, para servir

- Aqueça 1 colher (sopa) de azeite em uma frigideira e refogue a cebola e o alho por 2-3 minutos.
- Junte o espinafre e cozinhe até murchar. Tire do fogo, acrescente o arroz e o gorgonzola e misture bem.
- Coloque os cogumelos em uma assadeira e divida a mistura de espinafre entre eles. Polvilhe com o parmesão ralado.
- Regue com o restante do azeite e asse em forno preaquecido a 200 °C por 18-20 minutos, até ficar cozido.
- Sirva com salada verde.

---

10 Torradas com cogumelo cremoso Toste 8 fatias de pão ciabatta dos dois lados e esfregue todas com um dente de alho. Aqueça 2 colheres (sopa) de azeite em uma frigideira e refogue 3 cebolas fatiadas e 300 g de cogumelo portobello por 3-4 minutos, até ficar macio e começar a dourar. Misture 1 colher (sopa) de salsa picada e 1 colher (sopa) de creme de leite fresco, coloque sobre as fatias de ciabatta com uma colher e sirva.

---

20 Cogumelo recheado com erva-doce e tomate Aqueça 2 frigideiras, cada uma com 1 colher (sopa) de azeite. Em uma delas, coloque 4 cogumelos portobello sem os caules. Cozinhe em fogo baixo por 12-15 minutos. Na outra frigideira, refogue os talos dos cogumelos picados em cubos, 1 bulbo de erva-doce em cubos, 3 tomates em cubos e 3 dentes de alho fatiados por 5-6 minutos. Misture 2 colheres (sopa) de farinha de rosca, 75 g de gorgonzola esfarelado e um punhadinho de folhas de manjericão picadas. Coloque a mistura nos cogumelos com uma colher e transfira para uma assadeira. Polvilhe com 2 colheres (sopa) de parmesão ralado e asse, se possível, sob o grill do forno preaquecido até dourar.

Pizzas, massas e outros

Listas de receitas por tempo de preparo

30

20

10

10 Pizza rápida de alcachofra e salame

4 porções

4 tortilhas de trigo
400 g de molho de tomate
250 g de salame fatiado
400 g de coração de alcachofra enlatado, escorrido e fatiado
6 cebolinhas fatiadas
1 colher (chá) de orégano seco
225 g de muçarela ralada

- Coloque as tortilhas em 2 assadeiras e leve ao forno preaquecido a 220 °C por 2 minutos.
- Retire, espalhe o molho por cima e cubra cada uma com um pouco de salame, coração de alcachofra fatiado, cebolinha, orégano e muçarela.
- Asse as pizzas por mais 3-5 minutos, até as bordas da tortilha dourarem levemente e a muçarela derreter.

---

20 **Orecchiette com alcachofra e salame** Cozinhe 400 g de orecchiette em uma panela de água fervente seguindo as instruções da embalagem até ficar *al dente*. Enquanto isso, aqueça 1 colher (sopa) de azeite em uma panela e junte 100 g de salame fatiado, cortado em tiras, por 1-2 minutos. Adicione 400 g de tomate pelado em lata picado, 125 ml de caldo de legumes e uma lata de 400 g de coração de alcachofra escorrido e cortado ao meio. Cozinhe por 5-6 minutos. Escorra a massa e junte ao molho de salame. Sirva polvilhado com parmesão ralado.

30 **Pizza de alcachofra e pimentão vermelho** Em uma tigela grande, coloque 1 kg de farinha de trigo especial para pães, 15 g de fermento biológico seco instantâneo e 1 pitada de sal e misture bem. Acrescente 2 colheres (sopa) de azeite e cerca de 600 ml de água morna e misture tudo com as mãos até obter uma massa lisa e não pegajosa. Vire sobre uma superfície enfarinhada e sove por 5-8 minutos. Divida a massa em quatro partes iguais, abra cada uma em discos de 30 cm e transfira para assadeiras. Espalhe 100 g de molho de tomate sobre cada uma, depois divida entre as pizzas o conteúdo de uma lata de 400 g de coração de alcachofra e 125 g de pimentão vermelho assado em conserva comprado pronto, drenado e fatiado. Polvilhe 200 g de muçarela ralada e asse em forno preaquecido a 220 °C por 6-7 minutos.

30 Nhoque de batata

4 porções

800 g de batata farinhenta, descascada e cortada em cubos
1 gema batida
150 g de farinha de trigo
15 g de folhas de manjericão picadas
50 g de parmesão ralado
4 colheres (sopa) de azeite extravirgem
sal e pimenta-do-reino moída na hora

- Cozinhe as batatas em uma panela de água fervente por 12-15 minutos, até ficarem macias. Retire e passe por um espremedor de batatas para obter uma textura bem homogênea. Coloque outra panela com água no fogo para ferver.
- Transfira o purê para uma tigela e junte a gema, a farinha e o manjericão. Misture bem para amalgamar.
- Coloque 1 colher (chá) da massa na mão e enrole em uma bola do tamanho de uma noz. Aperte com um garfo para dar a forma de nhoque. Repita com o restante da massa.
- Solte os nhoques na panela de água fervente para cozinhar – o que deve levar só 1-2 minutos; eles vão flutuar quando estiverem prontos.
- Misture o nhoque quente com o parmesão ralado e o azeite e sirva imediatamente.

---

10 Nhoque de batata em molho de tomate rápido Aqueça 1 colher (sopa) de azeite em uma frigideira e refogue 2 echalotas em cubos e 2 dentes de alho amassados por 1-2 minutos. Junte 400 g de tomate pelado enlatado picado, uma pitada de pimenta-calabresa, 2 colheres (chá) de folhas de tomilho fresco e 2 colheres (sopa) de vinho branco. Cozinhe por 5-6 minutos. Enquanto isso, aqueça 800 g de nhoque pronto por 2 minutos em uma panela de água fervente. Escorra e misture o nhoque cozido no molho de tomate e sirva polvilhado com lascas de parmesão.

20 Batata com pancetta e alcaparra Cozinhe 1 kg de batata picada em uma panela de água fervente até ficar macia. Aqueça 2 colheres (sopa) de azeite e 25 g de manteiga em uma frigideira grande e refogue 1 cebola picada e 125 g de pancetta em cubos por 5-6 minutos. Misture 1 colher (sopa) de alecrim picado e 2 colheres (sopa) de alcaparra. Escorra as batatas, junte à mistura de alcaparra e amasse levemente na frigideira. Ferva uma panela grande de água em fogo brando e mexa com uma colher grande para criar um redemoinho. Quebre 2 ovos na água com cuidado e cozinhe por 3 minutos. Retire com uma escumadeira e mantenha quente. Repita com mais 2 ovos. Misture 1 colher (sopa) de manjericão picado às batatas e divida em quatro tigelas aquecidas. Cubra cada uma com um ovo poché e polvilhe com 2 colheres (sopa) de parmesão ralado.

20 Espaguete à carbonara

4 porções

400 g de espaguete
25 g de manteiga
3 dentes de alho bem picados
2 echalotas bem picadas
8 fatias de bacon picadas
4 ovos
200 ml de creme de leite
40 g de parmesão ralado

- Cozinhe o espaguete em uma panela de água fervente e, seguindo as instruções da embalagem, até ficar *al dente*.
- Aqueça a manteiga em uma frigideira grande e frite o alho, a echalota e o bacon por 5-7 minutos, até dourar.
- Bata os ovos com o creme de leite e metade do parmesão.
- Com um pegador de salada, transfira o espaguete cozido para a frigideira – não se preocupe se ele vier com um pouco do líquido do cozimento.
- Despeje a mistura de ovos por cima e misture o macarrão até ficar revestido, acrescentando mais líquido do cozimento, se necessário.
- Sirva polvilhado com o parmesão restante.

---

10 Espaguete rápido com bacon e ovos Cozinhe 400 g de espaguete em uma panela de água fervente por 7-8 minutos, ou siga as instruções da embalagem, até ficar *al dente*. Aqueça 1 colher (sopa) de azeite em uma frigideira e frite 8 fatias de bacon picadas até ficarem crocantes. Em uma tigela, bata 4 ovos com 200 ml de creme de leite e 40 g de queijo parmesão ralado. Escorra a massa, volte à panela e adicione os ovos e o bacon. Misture bem até o espaguete ficar bem revestido. Tempere com sal e pimenta-do-reino moída na hora e sirva polvilhado com mais parmesão ralado.

30 Tagliatelle com bacon, pinhole e ovo poché Ferva uma panela grande de água em fogo baixo e mexa com uma colher grande para criar um redemoinho. Quebre 2 ovos na água cuidadosamente e cozinhe por 3 minutos. Retire-os com uma escumadeira e repita com mais 2 ovos. Mantenha-os aquecidos. Cozinhe 400 g de tagliatelle em uma panela de água fervente, seguindo as instruções da embalagem, até ficar *al dente*. Aqueça 1 colher (sopa) de azeite em uma frigideira e frite 175 g de bacon cortado em tiras por 2 minutos. Adicione 200 g de ervilha congelada, 2 colheres (sopa) de caldo de legumes, 4 colheres (sopa) de creme de leite fresco e 4 cebolinhas fatiadas. Mexa bem e deixe ferver em fogo baixo por 3-4 minutos. Escorra o macarrão, transfira para a frigideira e misture delicadamente o molho cremoso de bacon. Divida a massa entre quatro tigelas rasas e complete cada uma com um ovo poché. Sirva polvilhado com 2 colheres (sopa) de parmesão ralado e pimenta-do-reino moída na hora.

30 Risoto de funghi porcini

4 porções

10 g de funghi porcini seco
200 ml de água fervente
1 colher (sopa) de azeite
2 echalotas em cubos
350 g de arroz arbório
150 ml de vinho branco
600 ml de caldo quente
175 g de cogumelo portobello
1 colher (chá) de folhas de tomilho fresco picadas
sal e pimenta-do-reino moída na hora
2 colheres (sopa) de queijo parmesão ralado, para servir

- Coloque os funghi secos em uma tigela e cubra com a água fervente. Deixe descansar por 15 minutos.
- Enquanto isso, aqueça o azeite em uma panela e refogue as echalotas por 2-3 minutos, até ficarem macias, mas não douradas.
- Junte o arroz e continue mexendo até a ponta dos grãos ficar translúcida.
- Despeje o vinho e cozinhe por 1-2 minutos em fogo alto, mexendo até ser absorvido.
- Adicione uma concha do caldo quente, reduza o fogo para médio e mexa constantemente, até ser absorvido. Repita com o resto do caldo, uma concha de cada vez.
- Escorra os funghi e reserve o líquido. Pique-os grosseiramente e adicione ao arroz com os cogumelos frescos e uma concha do líquido do funghi.
- Continue a mexer e a adicionar o caldo até o arroz ficar *al dente*.
- Junte o tomilho e tempere a gosto.
- Sirva polvilhado com parmesão ralado.

10 Arroz rápido com cogumelos

Aqueça 2 colheres (sopa) de azeite em uma frigideira e frite 350 g de cogumelo portobello e 4 cebolinhas fatiadas por 5-6 minutos. Junte 400 g de arroz cozido e 1 colher (sopa) de salsa picada. Tempere e sirva polvilhado com 2 colheres (sopa) de parmesão ralado.

20 Sopa de arroz e cogumelo

Aqueça 2 colheres (sopa) de azeite em uma panela e refogue 2 alhos-porós picados e 2 dentes de alho fatiados por 4-5 minutos, até ficarem macios. Junte 300 g de cogumelo portobello picado, 50 g de arroz de grão longo e 2 colheres (chá) de folhas frescas de tomilho e cozinhe por mais 2-3 minutos. Despeje 1,2 litro de caldo de legumes quente e deixe ferver por 5 minutos. Com um processador ou um liquidificador, bata a sopa até ficar homogênea. Tempere a gosto e sirva com pão crocante.

20 Pizza fiorentina

4 porções

2 bases grandes de pizza pronta
500 g de molho de tomate pronto
2 colheres (sopa) de azeite
2 dentes de alho fatiados
1 cebola roxa fatiada
500 g de espinafre
4 ovos
2 colheres (sopa) de pinhole
200 g de muçarela ralada
pimenta-do-reino moída na hora

- Coloque as bases de pizza em duas assadeiras e espalhe o molho sobre cada uma.
- Aqueça o azeite em uma frigideira grande e refogue o alho e a cebola por 2-3 minutos, junte o espinafre e mexa até ficar completamente murcho.
- Espalhe o espinafre murcho sobre as bases de pizza e faça duas covinhas em cada cobertura. Quebre os ovos nessa cavidade.
- Polvilhe cada pizza com pinhole, muçarela e pimenta-do-reino.
- Asse em forno preaquecido a 200 °C por 12-15 minutos, até os ovos ficarem cozidos. Corte em fatias e sirva imediatamente.

---

10 Pizza saudável no pão sírio Prepare 4 ovos poché. Toste 4 pães sírios integrais, se possível sob o grill do forno preaquecido, por 1-2 minutos de cada lado. Espalhe ketchup por cima com uma colher (sopa). Aqueça 1 colher (sopa) de azeite em uma frigideira, junte 400 g de folhas de espinafre e refogue até murchar. Espalhe o espinafre sobre os pães. Cubra cada um com 1 ovo poché, polvilhe cada pizza com 1 colher (sopa) de pinhole e outra de muçarela ralada. Asse sob o grill do forno quente por 3-4 minutos, até o queijo derreter.

30 Pizza fiorentina caseira Misture 1 kg de farinha de trigo especial para pães com 15 g de fermento biológico seco instantâneo e 1 pitada de sal. Adicione 2 colheres (sopa) de azeite e 1-2 colheres (sopa) de água morna. Misture com as mãos, juntando aos poucos cerca de 600 ml de água morna até obter uma massa macia e não pegajosa. Coloque sobre uma superfície levemente enfarinhada e sove por 5-8 minutos, até ficar lisa e elástica. Divida a massa em 4 pedaços, abra em discos de 30 cm e transfira para 2 assadeiras. Aqueça 2 colheres (sopa) de azeite em uma frigideira, junte 500 g de folhas de espinafre e refogue até murchar. Espalhe 500 g de molho de tomate pronto sobre as bases de pizza, seguido do espinafre. Quebre 1 ovo no meio de cada pizza, polvilhe cerca de 200 g de muçarela ralada e leve ao forno preaquecido a 220 °C por 6-7 minutos, até os ovos ficarem cozidos.

30 Pappardelle com aspargo cremoso e ervas

4 porções

450 g de aspargo limpo e cortado em pedaços de 2,5 cm
400 g de pappardelle
1 colher (sopa) de azeite
1 cebola cortada em cubos
2 dentes de alho amassados
300 ml de creme de leite
¼ de colher (chá) de noz-moscada ralada
2 colheres (sopa) de manjericão picado
2 colheres (sopa) de salsa picada
2 colheres (sopa) de cebolinha picada
2 colheres (sopa) de parmesão ralado, para servir

- Escalde o aspargo em uma panela de água fervente por 3-4 minutos. Escorra e mantenha aquecido.
- Cozinhe o pappardelle em uma panela de água fervente, seguindo as instruções da embalagem, até ficar *al dente*.
- Enquanto isso, aqueça o azeite em uma frigideira e refogue a cebola e o alho por 4-5 minutos.
- Junte o creme de leite e cozinhe por mais 6-8 minutos, até reduzir e engrossar um pouco. Adicione a noz-moscada ralada.
- Escorra a massa e adicione o creme, os aspargos e as ervas. Misture tudo delicadamente.
- Sirva polvilhado com parmesão ralado.

10 Salada de penne e aspargo

Cozinhe 200 g de penne fresco em uma panela de água fervente, seguindo as instruções da embalagem, até ficar *al dente*, escorra e passe sob água fria. Enquanto isso, cozinhe no vapor 350 g de aspargo cortado em dois até ficar macio, escorra e passe sob água fria. Coloque o macarrão e o aspargo em uma saladeira e misture com 100 g de tomate-cereja picado, 125 g de pimentão vermelho assado em conserva, escorrido e fatiado, 100 g de muçarela picada, 1 colher (sopa) de folhas de manjericão picadas e um pouco de molho italiano para salada.

20 Tagliatelle com pesto de aspargo

Cozinhe 400 g de tagliatelle em uma panela de água fervente, seguindo as instruções da embalagem, até ficar *al dente*. Enquanto isso, cozinhe 500 g de aspargo limpo em uma panela com água fervente por 2-3 minutos e escorra. Coloque o aspargo em um processador com 125 g de folhas de espinafre, 30 g de parmesão ralado, 2 dentes de alho amassados e 2 colheres (sopa) de pinhole torrado e bata por 30 segundos, depois acrescente 3-4 colheres (sopa) de azeite extravirgem com o aparelho em funcionamento, até obter uma pasta espessa. Junte o suco de ½ limão-siciliano e um pouco de água para deixar mais fluido e tempere com sal e pimenta a gosto. Escorra o macarrão, volte à panela e adicione o pesto de aspargo. Misture bem. Sirva salpicado com mais pinhole torrado.

20 Linguine com carne de caranguejo

4 porções

450 g de linguine
125 ml de azeite
2 dentes de alho amassados
1 pimentão vermelho bem picado
raspas e suco de 1 limão-siciliano
250 g de carne de caranguejo
2 colheres (sopa) de salsa picada

- Cozinhe o linguine em uma panela grande de água fervente, seguindo as instruções da embalagem, até ficar *al dente*.
- Enquanto isso, em outra panela grande, aqueça o azeite e refogue o alho, o pimentão e as raspas de limão em fogo baixo durante 3-4 minutos.
- Escorra a massa e adicione à panela com o azeite. Junte o suco de limão, a carne de caranguejo e a salsa picada. Misture delicadamente para aquecer bem o caranguejo e sirva.

---

10 Salada de macarrão com caranguejo

Cozinhe 300 g de fusilli fresco em uma panela de água fervente, seguindo as instruções da embalagem, até ficar *al dente*, depois escorra e passe sob água fria. Enquanto isso, cozinhe 125 g de buquês de brócolis no vapor até ficarem macios, escorra e passe sob água fria. Coloque o macarrão e o brócolis em uma saladeira e junte 1 pimentão vermelho sem sementes e fatiado, 4 cebolinhas fatiadas, 2 tomates picados e 250 g de carne de caranguejo. Misture com um pouco de molho italiano para salada e sirva com pão crocante.

---

30 Torta de caranguejo

Bata 4 ovos com 125 ml de creme de leite em uma tigela. Junte 225 g de carne de caranguejo, ½ pimenta vermelha picada, 4 cebolinhas picadas, 1 pimentão vermelho finamente fatiado, 1 colher (sopa) de salsa picada e 25 g de parmesão ralado. Despeje a mistura sobre uma massa brisé pronta para torta de 23 cm e polvilhe com 25 g de parmesão ralado. Asse no forno preaquecido a 200 °C por 22-25 minutos.

10 Pizza tricolor no pão pita

4 porções

4 pães pita
1 colher (sopa) de azeite
350 g de espinafre
4 colheres (sopa) de ketchup
2 pimentões amarelos fatiados finamente
250 g de pimentão vermelho assado em conserva, escorrido e fatiado
250 g de muçarela ralada

- Asse o pão pita, se possível, sob o grill do forno preaquecido por 1-2 minutos. Enquanto eles ainda estiverem quentes, passe uma faca ao meio em uma das laterais e divida em 2 pedaços.
- Enquanto isso, aqueça o azeite em uma frigideira e junte o espinafre. Mexa por 1-2 minutos até começar a murchar.
- Espalhe 1 colher (sopa) de ketchup sobre cada pão. Cubra com o espinafre, as fatias de pimentão amarelo e vermelho e, por último, a muçarela.
- Asse sob o grill do forno preaquecido por 4-5 minutos, até o queijo ficar derretido e dourado.

---

20 Pizza tricolor

Pegue 2 bases médias de pizza pronta e espalhe 2 colheres (sopa) de molho de tomate sobre cada uma. Cubra cada uma delas com 1 tomate fatiado, ½ pimentão amarelo e ½ vermelho sem sementes e fatiados, ¼ de cebola roxa em fatias finas e 50 g de muçarela ralada. Polvilhe 6-8 folhas de manjericão picadas e asse em forno preaquecido a 200 °C por 11-13 minutos. Corte em fatias e sirva com uma salada verde crocante.

30 Frittata tricolor

Aqueça 2 colheres (sopa) de azeite em uma frigideira e refogue 1 cebola roxa fatiada, 1 pimentão vermelho e 1 pimentão amarelo fatiados, mais 2 dentes de alho amassados, por 3-4 minutos, até ficar tudo macio; junte 200 g de espinafre e mexa até ficar completamente murcho. Bata 7 ovos com 1 colher (sopa) de leite e um pouco de sal e pimenta-do-reino moída na hora e despeje na frigideira. Incline um pouco a frigideira para todo o líquido chegar ao fundo. Cozinhe em fogo baixo por 20 minutos ou até a base ficar sólida (use uma espátula para afastar as bordas e verificar). Em seguida, leve ao forno e, se possível, asse sob o grill preaquecido até dourar, ou vire com o auxílio de um prato e continue o cozimento. Desenforme sobre uma tábua, corte em fatias e sirva.

20 Orecchiette com brócolis e pimenta

4 porções

350 g de brócolis cortado em buquês
300 g de orecchiette
4 colheres (sopa) de azeite
3 echalotas em cubos
4 dentes de alho bem picados
1 colher (chá) de pimenta--calabresa
2 colheres (sopa) de salsa picada
2 colheres (sopa) de parmesão em lascas, para servir

- Cozinhe o brócolis no vapor por 4-5 minutos, até ficar macio. Escorra e reserve.
- Cozinhe o orecchiette em uma panela de água fervente por 11-13 minutos, até ficar *al dente*.
- Enquanto isso, aqueça 2 colheres (sopa) de azeite em uma frigideira e refogue as echalotas com o alho e a pimenta--calabresa por 3-4 minutos.
- Acrescente o brócolis à frigideira e mexa para cobrir com o azeite picante.
- Escorra a massa e adicione à frigideira com o azeite restante e a salsa picada. Misture bem.
- Sirva polvilhado com o parmesão em lascas.

---

10 Massa gratinada com brócolis e atum Cozinhe 200 g de penne fresco em uma panela de água fervente, seguindo as instruções da embalagem, até ficar *al dente*. Enquanto isso, cozinhe 300 g de florete de brócolis no vapor por 4-5 minutos, até ficar macio. Escorra o penne e o brócolis e misture em um refratário com 4 tomates picados e 400 g de atum enlatado escorrido. Junte 350 ml de molho de queijo pronto aquecido e polvilhe com 4 colheres (sopa) de pão ralado fresco e 2 colheres (sopa) de parmesão ralado. Leve sob um grill quente preaquecido por 3-4 minutos, até dourar. Sirva com uma salada verde crocante.

30 Salada de macarrão com brócolis e bacon
Corte 2 pimentões vermelhos ao meio e asse, com o lado do corte virado para baixo, de preferência sob o grill do forno preaquecido, por 6-7 minutos, até a pele ficar tostada. Transfira para uma tigela, cubra com filme de PVC e espere esfriar o suficiente para manusear. Enquanto isso, cozinhe 250 g de orecchiette em uma panela de água fervente, seguindo as instruções da embalagem, até ficar *al dente*, depois escorra. Grelhe 8 fatias de bacon até ficarem crocantes e pique-as grosseiramente. Cozinhe no vapor 2 pés de brócolis cortados em buquês por 2-3 minutos, até ficar macio. Retire a pele tostada do pimentão e rasgue-o em tiras. Corte 3 tomates em quatro, retire as sementes e fatie-os. Para o molho, misture em uma tigela pequena 5 colheres (sopa) de azeite extravirgem, 2 colheres (sopa) de vinagre de vinho branco, 2 colheres (chá) de mostarda de Dijon, ½ dente de alho amassado e 1 pimenta vermelha picada e tempere com sal e pimenta-do-reino. Em uma tigela grande, junte o macarrão com os legumes, o bacon e 50 g de agrião, regue com o molho e sirva.

30 Espaguete à bolonhesa com tomate-cereja grelhado

4 porções

1 colher (sopa) de azeite
2 fatias de bacon picadas
1 cebola grande picada
2 dentes de alho amassados
500 g de carne moída (patinho)
150 ml de vinho tinto
400 g de tomate pelado em lata picado
½ colher (chá) de orégano
400 g de espaguete
4 ramas pequenas de tomate-cereja
4 colheres (sopa) de parmesão ralado, para servir

- Aqueça o azeite em uma frigideira e frite o bacon até dourar. Junte a cebola, o alho e cozinhe por 2-3 minutos, até a cebola ficar macia.
- Aumente o fogo, adicione a carne moída e refogue até dourar.
- Acrescente o vinho e deixe ferver até reduzir o volume pela metade. Junte o tomate pelado e o orégano. Cozinhe por 20 minutos.
- Enquanto isso, cozinhe o espaguete em uma panela de água fervente, seguindo as instruções da embalagem, até ficar *al dente*.
- Aqueça uma frigideira de fundo grosso ou grill e grelhe as ramas de tomate-cereja por 3-4 minutos.
- Escorra a massa e divida em quatro tigelas. Espalhe uma concha do molho à bolonhesa por cima, cubra com uma rama de tomate-cereja e sirva polvilhado com o parmesão ralado.

10 Espaguete com tomate

Cozinhe 400 g de espaguete em uma panela de água fervente, seguindo as instruções da embalagem, até ficar *al dente*. Enquanto isso, aqueça 4 colheres (sopa) de azeite em uma frigideira e refogue 1 echalota picada, 1 dente de alho amassado e 5 tomates picados. Escorra o macarrão e misture com o tomate. Junte 3 colheres (sopa) de folhas de manjericão e sirva polvilhado com parmesão ralado.

20 Pizza à bolonhesa

Aqueça 1 colher (sopa) de azeite em uma panela, junte 1 cebola picada e 500 g de carne moída e refogue por 4-5 minutos, até dourar. Adicione 250 g de molho de tomate pronto e cozinhe por mais 3-4 minutos. Divida a carne sobre quatro bases de pizza prontas, cubra com 2 tomates fatiados, polvilhe com 4 colheres (sopa) de muçarela ralada e leve ao forno preaquecido a 220 °C por 10-11 minutos, até o queijo derreter e dourar.

30 Risoto de ervilha e hortelã

4 porções

1 colher (sopa) de azeite
2 echalotas em cubos pequenos
400 g de arroz arbório
100 ml de vinho branco
cerca de 900 ml de caldo de legumes quente
100 g de ervilha fresca ou descongelada
um punhado pequeno de folhas de hortelã picadas
40 g de manteiga
40 g de parmesão ralado
sal e pimenta-do-reino moída na hora

- Aqueça o azeite em uma panela grande e refogue as echalotas por 2-3 minutos, até ficarem macias.
- Junte o arroz e continue mexendo até a ponta dos grãos ficar translúcida.
- Acrescente o vinho e cozinhe por 1-2 minutos, até evaporar.
- Adicione uma concha do caldo de legumes e mexa sem parar até tudo ser absorvido.
- Repita com o caldo restante, adicionando uma concha de cada vez, até o arroz ficar *al dente*.
- Junte as ervilhas, as folhas de hortelã, a manteiga e metade do parmesão. Tempere com sal e pimenta e cozinhe por mais 2-3 minutos.
- Sirva polvilhado com o restante do parmesão ralado.

---

10 Salada de macarrão com ervilha e hortelã

Cozinhe 200 g de penne em uma panela de água fervente, seguindo as instruções da embalagem, até ficar *al dente*, escorra e passe sob água fria. Enquanto isso, cozinhe 350 g de ervilha congelada em água fervente por 3-4 minutos, escorra e passe pela água fria. Em uma saladeira, junte o macarrão com as ervilhas, 100 g de tomate-cereja cortado ao meio, 1 colher (sopa) de folhas de hortelã, 125 g de muçarela picada e 2 colheres (sopa) de azeitona preta sem caroço. Adicione 125 g de espinafre e 3-4 colheres (sopa) de molho italiano para salada e misture delicadamente.

20 Sopa de ervilha, hortelã e arroz

Aqueça 2 colheres (sopa) de azeite em uma panela grande e refogue 2 echalotas, descascadas e cortadas em cubos com 1 talo de aipo em cubos por 4-5 minutos, até ficar tudo macio. Adicione 600 ml de caldo de legumes, deixe ferver e junte 400 g de ervilha fresca ou congelada. Cozinhe por mais 10 minutos ou até a ervilha ficar macia. Adicione 2 colheres (sopa) de folhas de hortelã picadas. Com o processador ou o liquidificador, bata a sopa até ficar homogênea. Junte 125 g de risoto pronto de sua preferência (ou de sobra do dia anterior), tempere a gosto e aqueça até ficar bem quente. Sirva com um fio de creme de leite ou iogurte natural e 2 colheres (chá) de folhas de hortelã picadas.

20 Penne all'arrabbiata

4 porções

4 colheres (sopa) de azeite
2 pimentas vermelhas em fatias finas
2 dentes de alho picados
600 g de tomate pelado em lata picado
6-8 folhas de manjericão rasgadas
400 g de penne
sal e pimenta-do-reino moída na hora
25 g de parmesão ralado, para servir

- Aqueça o azeite em uma frigideira grande, adicione a pimenta vermelha e o alho e refogue por 2-3 minutos.
- Junte o tomate picado e o manjericão e cozinhe por 12 minutos. Tempere a gosto.
- Enquanto isso, cozinhe o penne em uma panela de água fervente, seguindo as instruções da embalagem, até ficar *al dente*. Escorra a massa e misture com o molho de tomate. Mexa bem.
- Sirva polvilhado com parmesão ralado.

---

10 Macarrão rápido com tomate picante Aqueça 2 colheres (sopa) de azeite em uma frigideira grande e refogue 1 echalota picada e 1 pimenta vermelha picada até ficar tudo macio. Acrescente 3-4 tomates picados e 1 colher (sopa) de folhas de manjericão rasgadas. Enquanto isso, cozinhe 300 g de conchiglie em uma panela de água fervente, seguindo as instruções da embalagem, até ficar *al dente*, em seguida escorra. Retire o tomate do fogo, misture com o macarrão e adicione 1 colher (sopa) de vinagre balsâmico. Coloque 60 g de agrião em um prato e disponha a massa com o molho de tomate por cima. Sirva polvilhado com 2 colheres (sopa) de muçarela ralada e 2 colheres (sopa) de pinhole torrado.

---

30 Torta de tomate picante Abra 300 g de massa folhada comprada pronta sobre uma superfície polvilhada com farinha até formar um quadrado com 25 cm. Transfira para uma assadeira e desenhe uma linha a cerca de 2,5 cm da borda. Asse em forno preaquecido a 200 °C por 10 minutos, até dourar. Fatie 600 g de tomate e disponha no meio da massa. Polvilhe com ½ colher (chá) de pimenta--calabresa, 1 colher (sopa) de azeitona preta picada e 1 colher (sopa) de parmesão ralado. Asse por mais 10-12 minutos e sirva com vagem e abobrinha cozidas no vapor.

20 Fettuccine com gorgonzola e espinafre

4 porções

400 g de fettuccine
1 colher (sopa) de azeite
1 cebola picada
2 dentes de alho amassados
300 ml de creme de leite
125 g de gorgonzola
150 g de espinafre
sal e pimenta-do-reino moída na hora

- Cozinhe o fettuccine em uma panela de água fervente, seguindo as instruções da embalagem, até ficar *al dente*.
- Enquanto isso, aqueça o azeite em uma frigideira e refogue a cebola e o alho por 4-5 minutos. Despeje o creme de leite e deixe ferver por 5-6 minutos, até o creme engrossar um pouco.
- Junte o gorgonzola e o espinafre e mexa por mais 1 minuto. Escorra a massa e misture com o espinafre. Tempere com sal e pimenta-do-reino, misture delicadamente e sirva.

10 Pizza de espinafre e gorgonzola

Toste 4 pães pita integrais, se possível sob o grill do forno preaquecido, por 1-2 minutos de cada lado. Espalhe 1 colher (sopa) de ketchup sobre cada um. Enquanto isso, aqueça 1 colher (sopa) de azeite em uma frigideira, junte 400 g de espinafre e cozinhe até murchar. Divida entre os pães. Cubra cada um com 40 g de gorgonzola em pedaços e polvilhe com 1 colher (sopa) de pinhole. Asse sob o grill do forno preaquecido por 3-4 minutos, até o queijo derreter. Sirva coberta com um punhadinho de folhas de rúcula.

30 Sopa de espinafre e gorgonzola

Aqueça 1 colher (sopa) de azeite em uma panela e refogue 1 cebola picada e 2 dentes de alho picados por 3-4 minutos. Junte 1 batata picada e cozinhe por mais 1-2 minutos. Despeje 450 ml de caldo de legumes e deixe ferver por 10 minutos. Em seguida, misture 600 ml de leite e ferva novamente. Adicione 225 g de espinafre e as raspas de 1 limão-siciliano e cozinhe por 5-6 minutos. Misture 225 g de folhas de espinafre e 50 g de gorgonzola. Usando um processador ou liquidificador, bata a sopa até ficar homogênea. Tempere e sirva a sopa com semente de abóbora torrada, mais alguns pedaços de gorgonzola.

30 Risoto de açafrão

4 porções

2 colheres (sopa) de azeite
1 cebola em cubos pequenos
300 g de arroz arbório
200 ml de vinho branco
750 ml de caldo de galinha quente
2 pitadas de pistilos de açafrão
25 g de manteiga
40 g de parmesão ralado

- Aqueça o azeite em uma panela e refogue a cebola por 3-5 minutos, até ficar macia.
- Junte o arroz e continue mexendo até a ponta dos grãos ficar translúcida. Acrescente o vinho e cozinhe por 1-2 minutos, até evaporar.
- Adicione uma concha do caldo de galinha quente e o açafrão e mexa sem parar, até tudo ser absorvido. Repita com o caldo restante, juntando uma concha de cada vez, até o arroz ficar *al dente*.
- Retire do fogo e misture a manteiga e metade do parmesão ralado.
- Sirva polvilhado com o parmesão restante.

---

10 Salada morna de arroz com açafrão

Aqueça 2 colheres (sopa) de azeite em uma frigideira e refogue 1 cebola grande picada e 3 dentes de alho amassados por 4-5 minutos, até dourar. Junte 300 g de arroz de grão longo cozido e aqueça até ficar bem quente. Enquanto isso, amasse uma boa pitada de pistilos de açafrão em uma panela pequena, adicione 3 colheres (sopa) de caldo de legumes quente e deixe ferver por 1 minuto, fazendo uma infusão. Em seguida, junte ao arroz com 2 colheres (sopa) de uva-passa branca, 3 colheres (sopa) de amêndoa torrada em lascas, 2 colheres (sopa) de azeitona verde sem caroço, 1 colher (sopa) de folhas de hortelã e 2 colheres (sopa) de salsa picada.

20 Ovo mexido com açafrão

Aqueça 200 ml de leite em uma panela com uma boa pitada de pistilos de açafrão. Cubra e aguarde 4 minutos. Em uma tigela, bata 8 ovos grandes com um pouco de sal e pimenta-do-reino moída na hora e adicione ao leite com açafrão. Aqueça 25 g de manteiga em uma frigideira antiaderente e despeje a mistura de ovos. Não mexa por 20 segundos e depois misture com uma colher de pau. Repita esse processo, até o ovo ficar quase cozido. Deixe descansar por 2 minutos. Enquanto isso, toste 8 fatias de ciabatta dos dois lados. Coloque o ovo por cima do pão e sirva.

20 Penne com molho de nozes

4 porções

2 colheres (sopa) de azeite
3 echalotas em cubos
150 g de nozes
350 g de penne
2 colheres (sopa) de mascarpone
3 colheres (sopa) de iogurte natural
2 colheres (sopa) de salsa picada
pimenta-do-reino moída na hora
30 g de parmesão ralado, para servir

- Aqueça o azeite em uma frigideira e refogue as echalotas por 2-3 minutos.
- Bata metade das nozes em um processador ou liquidificador até formar uma farinha.
- Ponha as nozes restantes na frigideira e cozinhe por 5-6 minutos.
- Enquanto isso, cozinhe o penne em uma panela de água fervente, seguindo as instruções da embalagem, até ficar *al dente*.
- Junte as nozes moídas, o mascarpone e o iogurte na frigideira e mexa até ficar homogêneo. Misture a salsa picada e deixe ferver levemente por alguns minutos.
- Escorra a massa e reserve 2 colheres (sopa) do líquido de cozimento. Adicione o macarrão e o líquido ao molho de nozes e misture delicadamente. Adicione pimenta-do-reino a gosto.
- Sirva polvilhado com parmesão ralado.

10 Penne com pesto de nozes

Cozinhe 400 g de penne, seguindo as instruções da embalagem, até ficar *al dente*. Enquanto isso, coloque 175 g de nozes e 1 dente de alho amassado em um processador ou liquidificador e bata até ficar bem picado. Acrescente um punhado de folhas de manjericão, 100 g de parmesão ralado, 2 colheres (chá) de suco de limão-siciliano e 4 colheres (sopa) de azeite e bata novamente até ficar quase homogêneo. Adicione um pouco mais de azeite, se necessário, para deixar menos espesso. Escorra o macarrão e sirva com o pesto.

30 Penne com nozes e tomate assado

Cozinhe 400 g de penne em uma panela de água fervente, seguindo as instruções da embalagem, até ficar *al dente*. Enquanto isso, aqueça 2 colheres (sopa) de azeite em uma panela e refogue 1 cebola picada, 2 dentes de alho picados e 1 colher (chá) de pimenta-calabresa por 2-3 minutos. Junte 1,75 kg de tomate maduro sem pele, sem semente e picado, mais 100 ml de vinho tinto e cozinhe por 6-8 minutos. Com um processador ou um liquidificador, bata a mistura de tomate até obter um molho com pedaços grandes e volte à panela. Junte 3 colheres (chá) de folhas de manjericão picadas, 3 colheres (sopa) de nozes picadas e um pouco de sal e pimenta-do-reino moída na hora. Escorra o macarrão e misture com o molho de tomate. Coloque metade da massa em um refratário, polvilhe com 2 colheres (sopa) de parmesão ralado e cubra com 125 g de muçarela fatiada por cima. Despeje a massa restante e repita a sequência com os queijos. Preaqueça o forno a 200 °C e asse por 12-15 minutos. Sirva com salada de rúcula.

30 Risoto de tomate

4 porções

1 colher (sopa) de azeite
1 cebola cortada em cubos
2 dentes de alho amassados
100 g de tomate
200 ml de molho de tomate pronto
300 ml de caldo de legumes quente
200 g de arroz arbório
50 g de tomate seco cortado em tiras
2 colheres (sopa) de folhas de manjericão rasgadas
sal e pimenta-do-reino moída na hora
40 g de parmesão ralado, para servir

- Aqueça o azeite em uma panela e refogue a cebola e o alho por 5-6 minutos.
- Enquanto isso, coloque os tomates em uma tigela grande e despeje água fervente por cima. Aguarde 30 segundos, escorra os tomates e passe pela água fria. Retire a pele e a semente e pique.
- Coloque o molho de tomate e o caldo em uma panela pequena e leve à fervura.
- Junte o arroz à cebola e continue mexendo por 1-2 minutos, até a ponta dos grãos ficar translúcida.
- Adicione uma concha do molho de tomate com caldo e mexa sem parar até tudo ser absorvido.
- Repita com o caldo quente restante, juntando uma concha de cada vez, até o arroz ficar *al dente*.
- Acrescente o tomate picado, o tomate seco e o manjericão e tempere a gosto.
- Sirva polvilhado com parmesão ralado.

10 Salada rápida de arroz e tomate

Retire a pele e pique 4 tomates, como descrito acima, e misture com 4 cebolinhas fatiadas, 400 g de arroz cozido, comprado pronto ou sobra do dia anterior, 200 g de muçarela em cubos e 2 colheres (sopa) de folhas de manjericão. Tempere e regue com 2 colheres (sopa) de azeite, para servir.

20 Sopa de arroz e tomate

Aqueça 3 colheres (sopa) de azeite em uma panela grande e refogue 1 cebola picada, 1 cenoura cortada em cubos, 1 talo de aipo e 3 dentes de alho picados por 3-4 minutos. Junte ½ colher (chá) de semente de erva-doce, raspas de 1 laranja, 2 colheres (sopa) de extrato de tomate, uma lata de 400 g de tomate pelado picado, 300 ml de caldo de legumes e 100 g de arroz de grão longo. Tempere e cozinhe por 13-14 minuto até o arroz ficar cozido. Junte 1 colher (sopa) de folhas de manjericão picadas e sirva.

10 Polenta de milho-verde e espinafre

4 porções

1 colher (sopa) de azeite, mais um pouco para servir
4 cebolinhas fatiadas
1 lata (200 g) de milho-verde escorrido ou congelado
800 ml de caldo de legumes quente
200 g de fubá pré-cozido
um punhado generoso de espinafre
125 g de queijo taleggio picado
2 colheres (sopa) de parmesão ralado
sal e pimenta-do-reino moída na hora

- Aqueça o azeite em uma panela e refogue a cebolinha por 1 minuto.
- Junte o milho, despeje o caldo de legumes e leve à fervura.
- Despeje o fubá e cozinhe, mexendo sempre, por 1 minuto, até engrossar e formar uma polenta.
- Acrescente o espinafre e os queijos e tempere com sal e pimenta a gosto. Regue com um pouco de azeite na hora de servir.

---

20 Farfalle com milho e atum Cozinhe 300 g de farfalle em uma panela de água fervente, seguindo as instruções da embalagem, até ficar *al dente*. Escorra, passe pela água fria e coloque em uma tigela grande. Aqueça 2 colheres (sopa) de azeite em uma frigideira e doure 2 postas de atum com 125 g cada uma por 2-3 minutos de cada lado. Deixe descansar por 1-2 minutos, despedace e junte à massa com 100 g de pimentão vermelho assado em conserva escorrido e cortado, ½ pepino em fatias grossas, 400 g de milho enlatado escorrido e 30 g de rúcula. Em uma tigela pequena, bata 3 colheres (sopa) de azeite extravirgem, o suco de ½ limão-siciliano, ½ colher (chá) de mostarda com grão e 1 colher (chá) de mel, misture com a salada e sirva.

---

30 Sopa de batata e milho-verde Aqueça 2 colheres (sopa) de azeite em uma panela e refogue 1 cebola picada e 1 dente de alho amassado. Junte 300 g de batata picada e cozinhe por 3-4 minutos. Adicione 400 g de milho-verde congelado ou em lata escorrido, cozinhe por 2 minutos e despeje 1,2 litro de caldo de legumes. Deixe ferver e cozinhe por 8-10 minutos, até a batata ficar macia. Misture 100 ml de creme de leite. Usando um processador ou um liquidificador, bata a sopa até ficar homogênea. Tempere com sal e pimenta-do-reino moída na hora e sirva decorada com cebolinha picada.

20 Rigatoni com mexilhão e abobrinha

4 porções

1,5 kg de mexilhão limpo
200 ml de vinho branco
400 g de rigatoni
2 colheres (sopa) de azeite
1 cebola cortada em cubos
2 dentes de alho amassados
2 abobrinhas em rodelas

Para servir

3 colheres (sopa) de parmesão ralado
2 colheres (sopa) de cebolinha picada

- Em uma panela grande, cozinhe os mexilhões com o vinho em fogo alto por 5-6 minutos, até as cascas abrirem. Escorra, reserve o líquido de cozimento e retire os mexilhões das conchas. Descarte os que não abrirem.
- Cozinhe o rigatoni em uma panela de água fervente, seguindo as instruções da embalagem, até ficar *al dente*.
- Aqueça o azeite em uma panela, refogue a cebola e o alho por 2-3 minutos. Adicione a abobrinha e cozinhe por mais 4-5 minutos.
- Escorra o rigatoni e misture com a abobrinha, os mexilhões e o líquido do cozimento do mexilhão.
- Sirva polvilhado com parmesão ralado e cebolinha picada.

---

10 Salada de rigatoni, mexilhão e feta Cozinhe 350 g de rigatoni em uma panela, seguindo as instruções da embalagem, até ficar *al dente*. Adicione 150 g de ervilha congelada 1 minuto antes do fim do cozimento. Enquanto isso, misture 200 g de queijo feta esfarelado com 50 g de rúcula, raspas de 1 limão-siciliano, 1 abobrinha ralada, 2 colheres (sopa) de hortelã picada e 20 mexilhões defumados. Escorra a massa e as ervilhas e passe sob água fria. Misture com os outros ingredientes e acrescente 2 colheres (sopa) de azeite extravirgem e o suco de ½ limão-siciliano. Tempere com sal e pimenta-do--reino moída na hora e sirva.

30 Bolinho de mexilhão e abobrinha Pique grosseiramente 250 g de mexilhão cozido comprado pronto (mexilhão defumado também pode ser usado). Coloque em uma tigela, acrescente 3 abobrinhas raladas, 4 cebolinhas fatiadas e 3 colheres (sopa) de coentro picado e misture bem. Peneire 125 g de farinha de trigo em outra tigela e misture com 125 ml de leite e 3 ovos batidos até obter uma massa lisa. Junte a mistura de mexilhão. Aqueça 2 colheres (sopa) de azeite em uma frigideira, despeje 1 colher (sopa) da massa e frite por 3-4 minutos de cada lado, até dourar bem. Misture 200 g de iogurte natural com 2 colheres (sopa) de folhas de hortelã e sirva com os bolinhos.

30 Calzone de queijo e espinafre

4 porções

500 g de farinha de trigo especial para pão, mais um pouco para polvilhar
7 g de fermento biológico seco instantâneo
uma pitada de sal
3 colheres (sopa) de azeite
300 ml de água morna
300 g de espinafre
400 g de ricota
4 colheres (sopa) de parmesão ralado
4 colheres (sopa) de pecorino ralado
4 cebolinhas fatiadas
1 colher (chá) de pimenta-do--reino moída na hora

- Para fazer a massa, coloque a farinha, o fermento e o sal em uma tigela grande e misture bem. Faça uma cavidade no meio e adicione 1 colher (sopa) de azeite e dois terços da água. Misture com a mão, acrescentando mais água aos poucos, se necessário, até obter uma massa macia e não pegajosa.
- Coloque a massa sobre uma superfície enfarinhada e sove por 5-10 minutos, até ficar lisa e elástica. Divida em quatro partes e abra em discos de 20 cm.
- Aqueça o azeite restante em uma frigideira, adicione o espinafre e refogue por 2-3 minutos, até murchar totalmente. Coloque em uma tigela e junte os ingredientes restantes.
- Divida a mistura entre os quatro discos de massa, ajeitando sobre uma das metades de cada círculo, deixando 2,5 cm de borda. Pincele as bordas com água e dobre a outra metade por cima do recheio, apertando as duas partes para vedar. Coloque os calzones em uma assadeira e leve ao forno preaquecido a 220 °C por 6-8 minutos, até a massa ficar cozida e o recheio, quente.

---

10 Pão pita recheado com queijo e espinafre Aqueça 1 colher (sopa) de azeite em uma frigideira e refogue 1 cebola roxa fatiada por alguns minutos. Adicione 250 g de espinafre e mexa até murchar. Retire do fogo e junte 4 colheres (sopa) de parmesão ralado e 200 g de muçarela picada grosso. Aqueça 4 pães pita, corte ao longo de um lado e abra. Recheie cada pão com o espinafre e cubra com fatias de salame.

20 Salada de macarrão, queijo e espinafre Doure 100 g de pinhole em uma frigideira seca. Cozinhe 400 g de fusilli em uma panela de água fervente, seguindo as instruções da embalagem, até ficar *al dente*. Escorra e passe pela água fria corrente, depois misture 2 colheres (sopa) de azeite para evitar que a massa grude. Em uma tigela, misture 150 g de espinafre com 200 g de cheddar ralado e 4 colheres (sopa) de parmesão ralado. Misture 4 cebolinhas fatiadas, 100 g de tomate-cereja cortado ao meio e a massa. Em uma tigelinha, junte 2 colheres (sopa) de azeite e 1 colher (sopa) de vinagre balsâmico e regue a salada. Sirva polvilhado com o pinhole tostado.

20 Espaguete à putanesca

4 porções

1 colher (sopa) de azeite
4 dentes de alho em fatias finas
2 latas de 400 g de tomate pelado picado
2 colheres (sopa) de alcaparra picada
4 filés de aliche picados
um punhado de azeitona verde sem caroço picada
1 colher (chá) de pimenta--calabresa
um punhado de salsa picada
400 g de espaguete

- Aqueça o azeite em uma panela e refogue o alho por 1 minuto. Acrescente em seguida o tomate, a alcaparra, o aliche, a azeitona e a pimenta-calabresa. Cozinhe por 10 minutos, até o molho começar a engrossar. Junte a salsa picada.
- Enquanto isso, cozinhe o macarrão em uma panela de água fervente, seguindo as instruções da embalagem, até ficar *al dente*. Escorra o macarrão, misture com o molho e sirva.

---

10 Risoto rápido de vagem e aliche

Cozinhe 400 g de vagem limpa no vapor por 6-7 minutos, até ficar macia. Enquanto isso, coloque 4 ovos na água fervente por 4 minutos e depois passe sob água corrente fria. Descasque e reserve. Em uma tigelinha, misture 3 colheres (sopa) de azeite extravirgem com 1 colher (sopa) de vinagre de xerez, 1 colher (chá) de mostarda de Dijon e uma pitada de açúcar. Aqueça 400 g de risoto cozido (sobra do dia anterior), até ficar bem quente, e divida entre quatro pratos ou tigelas aquecidas. Divida a vagem entre os pratos, cubra cada um com um ovo cozido cortado ao meio e 2-3 filés de aliche cortados ao meio. Regue com o molho e sirva.

30 Espaguete siciliano com aliche

Corte 6 tomates ao meio, coloque em uma assadeira e leve ao forno preaquecido a 200 °C por 15 minutos. Cozinhe 350 g de espaguete em uma panela de água fervente, seguindo as instruções da embalagem, até ficar *al dente*. Enquanto isso, aqueça 1 colher (sopa) de azeite em uma frigideira e frite 3 ovos até ficar com a clara sólida mas a gema ainda mole. Pique os tomates grosseiramente e junte 4 filés de aliche picados, 1 dente de alho picado, 1 colher (sopa) de pepino em conserva e 50 g de farinha de rosca. Pique os ovos e adicione à mistura. Escorra o macarrão e junte ao molho, mais 1 colher (sopa) de azeite e 1 colher (sopa) de salsa picada. Sirva imediatamente, polvilhado com 2 colheres (sopa) de parmesão ralado.

30 Pizza de caponata com berinjela e abobrinha

4 porções

2 colheres (sopa) de azeite
1 cebola roxa picada
2 dentes de alho amassados
1 berinjela grande cortada em pedaços pequenos
3 abobrinhas cortadas ao meio e fatiadas
1 pimentão vermelho picado
1 pimentão amarelo picado
400 g de tomate pelado em lata picado
4 bases de pizza prontas
um punhadinho de folhas de manjericão rasgadas
200 g de muçarela ralada

- Aqueça o azeite em uma frigideira grande e refogue a cebola e o alho por 1-2 minutos. Adicione a berinjela e cozinhe por mais 3-4 minutos. Junte a abobrinha e os pimentões e refogue em fogo baixo por 4-5 minutos.
- Acrescente o tomate picado, deixer ferver e cozinhe por 2-3 minutos, até os legumes começarem a amolecer.
- Usando uma escumadeira, divida a mistura entre as bases de pizza dispostas em duas assadeiras. Cubra com o manjericão e a muçarela ralada e leve ao forno preaquecido a 220 °C por 11-13 minutos. Sirva imediatamente.

10 Pizza rápida de berinjela e abobrinha

Toste 4 pães pita integrais, se possível, sob o grill do forno preaquecido por 1-2 minutos de cada lado. Espalhe 1 colher (sopa) de ketchup sobre cada um. Cubra cada pão com 1-2 pedaços de berinjela grelhada comprada pronta, 1-2 pedaços de pimentão vermelho assado em conserva, 1 fatia de abobrinha grelhada comprada pronta e 1 colher (sopa) de muçarela ralada. Asse sob o grill do forno preaquecido, por 3-4 minutos, até o queijo derreter.

20 Salada de arroz, abobrinha e feta

Cozinhe 150 g de arroz basmati em uma panela de água fervente, seguindo as instruções da embalagem, até ficar macio. Escorra e passe pela água fria. Com um descascador de legumes, corte bem fino 2 abobrinhas. Misture o arroz com a abobrinha, 4 cebolinhas fatiadas, 1 pimenta vermelha em fatias finas, 2 colheres (sopa) de berinjela em conserva escorrida e picada, 200 g de queijo feta esfarelado e 2 colheres (sopa) de salsa picada. Regue com 2 colheres (sopa) de azeite e 1 colher (sopa) de vinagre de vinho branco e misture tudo delicadamente.

20 Polenta cremosa com cogumelo e repolho

4 porções

1 repolho crespo pequeno cortado em fatias finas
1 colher (sopa) de azeite
125 g de pancetta em cubos
2 echalotas em cubos
2 dentes de alho amassados
125 g de cogumelo portobello fatiado
400 ml de água
400 ml de leite
200 g de fubá pré-cozido
25 g de manteiga
2 colheres (chá) de folhas de tomilho fresco picadas
100 g de gorgonzola em pedaços

- Cozinhe o repolho no vapor por 4-5 minutos e mantenha-o aquecido.
- Aqueça o azeite em uma panela e refogue a pancetta em cubos por 2-3 minutos. Adicione as echalotas e o alho e cozinhe por mais 3-4 minutos.
- Junte os cogumelos e mantenha no fogo por mais 5-6 minutos.
- Enquanto isso, ferva a água e o leite em outra panela. Despeje o fubá e cozinhe, mexendo sempre, por 1 minuto, até a polenta ficar espessa e cremosa. Junte a manteiga e o tomilho.
- Misture o repolho cozido e o gorgonzola com o cogumelo até o queijo começar a derreter.
- Divida a polenta cremosa entre quatro pratos e, com uma colher, coloque a mistura de cogumelos e repolho por cima, para servir.

---

10 Polenta rápida com cogumelo

Aqueça 2 colheres (sopa) de azeite em uma panela e refogue 1 cebola em cubos, 2 dentes de alho amassados e ¼ de colher (chá) de pimenta-calabresa por 2-3 minutos. Adicione 75 g de cogumelo portobello picado e cozinhe por 2-3 minutos. Acrescente 800 ml de água fervente e 200 g de fubá pré-cozido. Cozinhe por 1-2 minutos, mexendo sem parar. Junte 3 colheres (sopa) de parmesão ralado e regue com um pouco de azeite, para servir.

---

30 Repolho assado com cogumelo e muçarela

Corte 1 repolho em quatro e coloque em um refratário. Polvilhe com 1 maçã picada, 1 cebola picada, 125 g de cogumelo portobello fatiado, 2 colheres (sopa) de salsa picada e 200 g de muçarela ralada. Acrescente 200 ml de caldo de legumes quente e 2 colheres (sopa) de vinho branco. Cubra e asse em forno preaquecido a 200 °C por 22-25 minutos, até o repolho ficar macio.

10 Fusilli com agrião, uva-passa e pinhole

4 porções

400 g de fusilli
2 colheres (sopa) de azeite
225 g de agrião picado
50 g de uva-passa preta
60 g de pinhole torrado
raspas de 1 limão-siciliano
lascas de parmesão, para servir

- Cozinhe o fusilli em uma panela de água fervente, seguindo as instruções da embalagem, até ficar *al dente*.
- Enquanto isso, aqueça o azeite em uma panela grande e adicione o agrião. Mexa até murchar e acrescente a uva-passa.
- Escorra a massa e misture com o agrião e as passas. Adicione o pinhole e as raspas de limão e misture bem.
- Sirva polvilhado com lascas de parmesão.

20 Salada de fusilli e agrião

Cozinhe 300 g de fusilli em uma panela de água fervente, seguindo as instruções da embalagem, até ficar *al dente*. Escorra e passe pela água fria. Misture a massa com 2 cenouras, 2 abobrinhas e 1 pimentão vermelho, todos cortados em palitinhos. Junte 75 g de agrião. Bata 3 colheres (sopa) de azeite extravirgem com 1 colher (sopa) de vinagre de xerez, 1 dente de alho amassado, ½ colher (chá) de mostarda e ½ colher (chá) de mel. Regue a salada com o molho e sirva polvilhado com 2 colheres (sopa) de pinhole torrado.

30 Sopa de batata e agrião

Aqueça 2 colheres (sopa) de azeite em uma panela grande e refogue 2 alhos-porós fatiados, 2 batatas picadas e 100 g de agrião picado. Cubra e mantenha em fogo baixo por 10 minutos, mexendo uma vez. Despeje 900 ml de caldo de legumes e cozinhe por 10-15 minutos, até as batatas ficarem bem macias. Usando um processador ou liquidificador, bata a sopa até ficar homogênea. Volte à panela, junte 3 colheres (sopa) de creme de leite fresco, sal e pimenta-do-reino e leve à fervura novamente. Sirva com mais um fio de creme de leite fresco e decore com um raminho de agrião.

30 Fusilli com pepperoni

4 porções

350 g de fusilli
1 colher (sopa) de azeite
1 cebola picada
2 pimentões vermelhos picados
350 g de carne moída
400 g de tomate pelado em lata picado
100 ml de vinho tinto
125 g de pepperoni fatiado
4 colheres (sopa) de parmesão ralado

- Cozinhe o macarrão em uma panela de água fervente, seguindo as instruções da embalagem, até ficar *al dente*.
- Enquanto isso, aqueça o azeite em uma frigideira e refogue a cebola e o pimentão por 4-5 minutos. Junte a carne moída e doure por 3-4 minutos.
- Acrescente o tomate picado, o vinho tinto e o pepperoni, deixe ferver e cozinhe por 8-10 minutos.
- Escorra o macarrão e misture com a carne. Coloque em um refratário e polvilhe com o parmesão ralado.
- Asse, se possível, sob o grill do forno preaquecido por 2-3 minutos, até o queijo dourar. Sirva imediatamente.

10 Salada de arroz e pepperoni

Aqueça 2 colheres (sopa) de azeite em uma frigideira, refogue 1 cebola picada por alguns minutos, misture 150 g de pepperoni picado e frite até ficar crocante nas bordas. Junte 350 g de arroz cozido comprado pronto, 2 colheres (sopa) de tomate seco e 150 g de ervilha descongelada. Sirva polvilhado com salsa picada.

20 Pizza de pepperoni

Coloque 4 bases de pizza prontas em 2 assadeiras e espalhe 100 g de molho de tomate sobre cada uma. Cubra cada uma com 1 tomate fatiado, 75 g de pepperoni fatiado e 50 g de muçarela ralada. Asse em forno preaquecido a 220 °C por 11-13 minutos, até o queijo ficar derretido e dourado.

30 Nhoque com espinafre, queijo e nozes

4 porções

1 colher (sopa) de azeite
250 g de espinafre
500 g de nhoque
200 g de creme de leite fresco
½ colher (chá) de mostarda com grão
75 g de cheddar ralado
25 g de pecorino ralado
25 g de nozes

- Aqueça o azeite em uma frigideira e refogue o espinafre até murchar.
- Cozinhe o nhoque em uma panela de água fervente, seguindo as instruções da embalagem. Escorra.
- Coloque o creme de leite e a mostarda em uma panela, junte cerca da metade de cada um dos queijos e cozinhe por 2-3 minutos, depois adicione o espinafre e o nhoque para aquecer completamente. Salpique as nozes.
- Coloque em um refratário e polvilhe com o queijo restante. Asse, se possível, sob o grill do forno preaquecido por 3-4 minutos, até dourar, e sirva.

---

10 Omelete de queijo e espinafre Bata 12 ovos em uma tigela e tempere com sal e pimenta-do-reino. Aqueça 10 g de manteiga e ½ colher (sopa) de azeite em uma frigideira de omelete ou frigideira pequena e despeje um quarto dos ovos. Incline a frigideira em círculos por 1 minuto para que todo o ovo possa cozinhar. Quando estiver cozido embaixo, polvilhe a omelete com um punhadinho de espinafre e 50 g de queijo fontina. Cozinhe por mais 1-2 minutos e, usando uma espátula, dobre uma metade da omelete sobre a outra e deslize-a sobre um prato quente, para servir. Repita mais 3 vezes com o resto dos ovos e a mesma quantidade de espinafre e fontina para fazer 4 omeletes.

---

20 Polenta de queijo e espinafre com cogumelo cremoso Aqueça 2 colheres (sopa) de azeite em uma panela e refogue 200 g de cogumelo portobello picado, 2 echalotas picadas e 2 dentes de alho picados. Junte 3 colheres (sopa) de creme de leite fresco, ½ colher (chá) de mostarda com grão e 25 g de nozes tostadas picadas. Aqueça 1,3 litro de caldo de legumes em outra panela até ferver, despeje 275 g de fubá pré-cozido e cozinhe, mexendo sempre, por 5-6 minutos, até ficar espesso e cremoso. Retire do fogo, acrescente 100 g de queijo fontina e 50 g de espinafre picado grosseiramente. Divida a polenta entre 4 tigelas aquecidas, coloque os cogumelos cremosos por cima com uma colher e sirva polvilhado com 2 colheres (sopa) de pecorino ralado.

30 Pizza margherita

4 porções

1 kg de farinha de trigo especial para pão, mais um pouco para polvilhar
15 g de fermento biológico seco instantâneo em sachê
uma pitada de sal
2 colheres (sopa) de azeite
600 ml de água morna
500 g de molho de tomate
6 tomates em rodelas
450 g de muçarela fatiada

- Para fazer a massa, coloque a farinha, o fermento e o sal em uma tigela grande e misture bem. Faça uma cova no meio. Junte 1 colher (sopa) de azeite e dois terços da água.
- Misture com a mão, acrescentando mais água aos poucos se necessário, até obter uma massa macia e não pegajosa.
- Coloque a massa sobre uma superfície enfarinhada e sove por 5-10 minutos, até ficar lisa e elástica.
- Divida em 4 partes, abra cada uma em discos de 30 cm e coloque em assadeiras comuns ou especiais para pizza.
- Espalhe o molho sobre cada uma, cubra com fatias de tomate e algumas fatias de muçarela.
- Asse em forno preaquecido a 220 °C por 6-7 minutos, até o queijo ficar derretido e dourado. Sirva imediatamente.

10 Pizza de tomate a jato

Toste 4 pães pita dos dois lados sob uma grelha quente preaquecida. Espalhe 1 colher (sopa) de ketchup sobre cada um e forre com 4 tomates fatiados. Cubra cada um com 75 g de muçarela fatiada ou ralada e asse, se possível, sob o grill do forno quente até o queijo ficar derretido e dourado. Sirva polvilhado com manjericão picado.

20 Ovo cozido com espinafre e tomate

Cozinhe 400 g de espinafre no vapor até murchar e escorra bem. Aqueça 1 colher (sopa) de azeite em uma frigideira e refogue 3 tomates picados por 3-4 minutos. Junte 2 colheres (sopa) de folhas de manjericão picadas e tempere com sal e pimenta-do-reino moída na hora. Adicione o espinafre murcho e cozinhe por 1-2 minutos. Divida a mistura entre 4 ramequins e quebre 1 ovo em cada um. Coloque uma noz de manteiga sobre cada um e asse em forno preaquecido a 190 °C por 10-12 minutos. Sirva com pão ciabatta torrado.

20 Linguine com ervilha e cebolinha

4 porções

6 colheres (sopa) de azeite
2 dentes de alho picados
um punhado grande de folhas de hortelã
50 g de pinhole torrado
50 g de parmesão ralado
350 g de linguine
225 g de ervilha fresca ou congelada
4 cebolinhas fatiadas

- Coloque o azeite, o alho, a hortelã, o pinhole e o parmesão ralado em um liquidificador ou processador e bata até ficar homogêneo.
- Cozinhe o linguine em uma panela de água fervente, seguindo as instruções da embalagem, até ficar *al dente*.
- Enquanto isso, cozinhe as ervilhas em uma panela de água fervente por 3-4 minutos e depois escorra.
- Escorra o macarrão. Volte à panela e misture delicadamente o pesto de hortelã, a ervilha e a cebolinha. Sirva em seguida.

---

10 Espaguete com pesto de ervilha e hortelã Cozinhe 400 g de espaguete por 7-8 minutos, ou siga as instruções da embalagem, até ficar *al dente*. Enquanto isso, escalde 250 g de ervilha congelada em uma panela de água fervente por 2 minutos, escorra e passe pela água fria. Coloque as ervilhas em um processador com 2 dentes de alho amassados, 50 g de pinhole torrado, 50 g de parmesão ralado, 6 colheres (sopa) de azeite extravirgem, um punhadinho de folhas de hortelã e tempere com sal e pimenta-do-reino moída na hora. Bata até ficar picado, mas não homogêneo. Escorra o macarrão, volte à panela com o molho pesto e misture bem. Sirva polvilhado com lascas de parmesão.

---

30 Torta de ervilha e hortelã

Frite 125 g de pancetta em cubos em uma frigideira sem óleo até ficar crocante. Adicione 2 cebolas bem picadas e refogue por mais 2-3 minutos. Transfira essa mistura para uma base de 23 cm de massa brisé para torta comprada pronta. Bata 4 ovos grandes com 300 ml (½ litro) de creme de leite em um copo dosador. Junte 225 g de ervilha descongelada, 2 colheres (sopa) de folhas de hortelã picadas e 50 g de gruyère ralado. Despeje essa mistura sobre a massa, polvilhe com 2 colheres (sopa) de parmesão ralado e asse em forno preaquecido a 200 °C por 20-22 minutos, até dourar. Sirva quente ou frio com salada.

Peixes e frutos do mar

Listas de receitas por tempo de preparo

30

20

10

10 Lula na manteiga de ervas

4 porções

125 g de manteiga
raspas de 1 limão e suco de ½ limão
2 colheres (sopa) de hortelã picada
2 colheres (sopa) de manjericão picado
1 colher (sopa) de azeite
500 g de lula cortada em anéis

- Misture a manteiga, as raspas de limão, a hortelã e o manjericão em uma tigelinha. Junte o suco de limão.
- Aqueça o azeite em uma frigideira grande e refogue os anéis de lula por 1-2 minutos de cada lado. Retire a lula da panela e transfira-a para um prato quente.
- Espalhe a manteiga de ervas sobre a lula e misture com delicadeza. Sirva imediatamente.

20 Lula temperada com grão-de-bico

Coloque 450 g de lula limpa cortada em anéis em uma tigela não metálica e misture com o suco de 1 limão, 1 pimenta vermelha bem picadinha e 8 folhas de manjericão rasgadas. Deixe marinar por 10 minutos. Coloque as folhas rasgadas de 1 pé de alface romana e 150 g de tomate-cereja cortado ao meio em uma saladeira grande. Aqueça 2 colheres (sopa) de azeite em uma frigideira e refogue 1 cebola roxa em fatias finas por 3-4 minutos. Junte a lula e a marinada e cozinhe em fogo alto por 2-3 minutos. Adicione 400 g de grão-de-bico em lata escorrido e mexa para revestir com o azeite picante. Despeje tudo sobre a salada e misture delicadamente.

30 Lula à dorê

Coloque 200 g de farinha de trigo, 1 colher (sopa) de pimenta-do-reino moída na hora, uma pitada de sal e outra de pimenta-de-caiena em um saco plástico de congelar. Agite tudo para misturar bem e adicione 500 g de lula em anéis. Despeje óleo de amendoim em uma panela grande ou uma fritadeira e aqueça a 180-190 °C, ou até um cubo de pão dourar em 30 segundos ao cair no óleo. Retire alguns anéis de lula da farinha e sacuda o excesso. Em lotes, coloque-os no óleo quente com cuidado e deixe fritar por 3-4 minutos, até ficarem crocantes. Retire com uma escumadeira e escorra em papel-toalha. Enquanto isso, misture 2 dentes de alho amassados com 5 colheres (sopa) de maionese em uma tigela. Sirva as lulas com a maionese de alho e fatias de limão-siciliano.

20 Peixe-espada grelhado com molho verde

4 porções

1 ½ colher (chá) de mostarda de Dijon
450 ml de azeite extravirgem
4 filés de aliche picados
um punhado de cada erva (salsa, manjericão, hortelã e estragão)
2 colheres (sopa) de alcaparra
1 dente de alho amassado
2 colheres (sopa) de azeite
4 postas de peixe-espada com cerca de 150 g cada uma
suco de 1 limão-siciliano
sal e pimenta-do-reino moída na hora
salada verde, para servir

- Bata a mostarda com 250 ml de azeite em uma tigela até emulsionar. Junte o aliche.
- Pique as ervas com as alcaparras e adicione à mistura de azeite, mais o alho amassado. Acrescente mais azeite, aos poucos, até o molho adquirir consistência.
- Aqueça o grill até ficar bem quente. Pincele azeite nos dois lados das postas de peixe e tempere. Grelhe por 2-3 minutos de cada lado, ou até ficarem ao ponto, cozidas mas ainda bem suculentas.
- Junte o suco de limão ao molho verde e coloque colheradas dele sobre o peixe grelhado. Sirva com salada verde crocante.

---

10 Peixe-espada com molho verde rápido Asse 4 postas de peixe-espada de 150 g cada uma sob o grill do forno preaquecido por 2-3 minutos de cada lado. Enquanto isso, coloque em um processador ou liquidificador 2 dentes de alho, um punhado de alcaparras, um punhado de pepino em conserva, 4 filés de aliche, dois punhados generosos de salsa, um punhado de folhas de manjericão, um punhado de folhas de hortelã, 1 colher (sopa) de mostarda, 3 colheres (sopa) de vinagre de vinho branco, 8 colheres (sopa) de azeite extravirgem e um pouco de sal e pimenta-do-reino moída na hora. Bata até misturar bem e sirva com o peixe-espada.

30 Peixe-espada com molho de tomate assado Em uma tigela, misture 3 colheres (sopa) de azeite extravirgem com o suco de 1 limão-siciliano, folhas de 3 ramos de tomilho e 2 colheres (chá) de pimenta-do-reino moída na hora. Coloque 4 postas de peixe-espada em um prato raso, lado a lado. Regue com a marinada e deixe por 20 minutos. Enquanto isso, corte 12 tomates ao meio e coloque em uma assadeira com o lado cortado virado para cima. Polvilhe com 1 colher (chá) de páprica defumada, regue com 2 colheres (sopa) de azeite e tempere com sal e pimenta-do-reino. Espalhe um punhado de folhas de tomilho e asse, se possível, sob o grill do forno preaquecido até a pele tostar ligeiramente. Transfira os tomates com o caldo para uma panela em fogo brando. Junte um punhado de folhas de manjericão e amasse de leve o tomate com os temperos. Adicione 1 colher (sopa) de vinagre de vinho tinto, 1 colher (chá) de açúcar mascavo e 40 g de azeitona preta sem caroço. Em uma panela separada, cozinhe no vapor 200 g de espinafre até murchar e escorra bem. Aqueça uma chapa com grelha ou grill e grelhe o peixe marinado por 2-3 minutos de cada lado. Sirva sobre uma camada de espinafre e regue com o molho de tomate.

30 Mexilhão recheado

4 porções

1-1,5 kg de mexilhão grande e limpo (cerca de 48 unidades)
60 g de farinha de rosca
50 g de nozes
200 g de manteiga
6 dentes de alho picados
suco de 1 limão-siciliano
2 colheres (sopa) de parmesão ralado
2 colheres (sopa) de estragão
um punhado de salsa picada

- Cozinhe os mexilhões no vapor em uma panela grande tampada até abrirem, depois escorra. Descarte os mexilhões que não abriram. Retire as metades de concha vazias e coloque os mexilhões em uma assadeira.
- Em um processador, junte a farinha de rosca, as nozes, a manteiga, o alho, o suco de limão, o parmesão ralado e bata até a mistura ficar homogênea. Junte as ervas e bata até incorporar.
- Divida a mistura de ervas entre os mexilhões, cobrindo bem cada um. Asse sob o grill do forno preaquecido por 2-3 minutos, até o recheio dourar. Se não couberem em uma única assadeira, asse em dois lotes.
- Sirva imediatamente.

10 Bruschetta de mexilhão defumado

Toste 8 fatias de pão ciabatta dos dois lados e esfregue cada fatia com 1 dente de alho. Pique grosseiramente 200 g de mexilhão defumado e misture com 2 tomates picados em pedaços grandes, 1 colher (sopa) de salsa picada e o suco de ½ limão-siciliano. Coloque a mistura de mexilhão sobre a torrada e sirva coberta com algumas folhas de rúcula.

20 Linguine com mexilhão e tomate

Coloque 1 kg de mexilhão limpo com 50 ml de vinho branco em uma panela grande e cozinhe até abrir. Escorra os mexilhões e reserve o líquido do cozimento, descartando os que não abrirem. Aqueça 4 colheres (sopa) de azeite em uma panela e refogue 1 cebola picada, 4 dentes de alho fatiados e ¼ de colher (chá) de pimenta-calabresa. Acrescente 450 g de tomate-cereja cortado ao meio e cozinhe por 5 minutos. Enquanto isso, cozinhe 450 g de linguine em uma panela de água fervente, seguindo as instruções da embalagem, até ficar *al dente*. Coe o líquido de cozimento do mexilhão na panela com os tomates e junte os mexilhões, 2 colheres (sopa) de salsa picada e o linguine escorrido. Misture tudo, tempere com sal e pimenta-do-reino moída na hora a gosto e sirva.

30 Cavalinha com salada de batata e beterraba

4 porções

200 g de batata-bolinha
2 colheres (sopa) de azeite
4 cebolinhas fatiadas
4 beterrabas pequenas cozidas, cortadas em fatias grossas
4 filés de cavalinha
raspas e suco de 1 limão-siciliano
½ colher (chá) de pimenta-do-reino moída na hora
60 g de agrião
150 g de iogurte natural
2 colheres (sopa) de alcaparra picada
4 fatias de limão-siciliano, para servir

- Cozinhe as batatas em uma panela de água fervente até ficarem macias.
- Escorra e, em uma tigela grande, misture-as com o azeite, a cebolinha e a beterraba.
- Disponha os filés de cavalinha em uma assadeira com o lado da pele virado para baixo, esprema o suco de limão por cima e tempere com a pimenta. Asse, de preferência, sob o grill do forno preaquecido por 3-4 minutos de cada lado, até ficar cozido.
- Enquanto isso, junte o agrião com a salada de batata e, em uma tigelinha, misture o iogurte com as alcaparras e as raspas de limão.
- Divida a salada entre 4 pratos e cubra cada um com 1 filé de peixe grelhado e 1 colher (sopa) do molho de iogurte. Sirva com as fatias de limão.

---

10 Patê de cavalinha defumada com beterraba Misture 300 g de cavalinha defumada em lascas e sem pele com o suco de ½ limão-siciliano, 150 g de cream cheese, 2 colheres (chá) de molho de raiz-forte (p. 24) e um pouco de sal e pimenta-do-reino moída na hora. Sirva o patê com fatias de pão ciabatta torradas e cubra com beterraba cozida e ralada comprada pronta.

20 Risoto de cavalinha defumada com beterraba Coloque 2 beterrabas pequenas cozidas compradas prontas em um processador ou liquidificador e bata até ficar homogêneo. Aqueça 1 colher (sopa) de azeite em uma frigideira grande e refogue 2 echalotas em cubos por 2-3 minutos, até ficarem macias, mas não coradas. Junte 400 g de arroz arbório e continue mexendo até a ponta dos grãos ficar translúcida. Despeje 100 ml de vinho branco e cozinhe por 1-2 minutos, até evaporar. Adicione uma concha de um total de 900 ml de caldo de legumes quente e mexa sem parar até tudo ser absorvido. Repita com o caldo restante, juntando uma concha por vez, até o arroz ficar *al dente*. Adicione o purê de beterraba, outras 2 beterrabas cozidas em cubos e 2 filés de cavalinha defumada em lascas. Sirva polvilhado com cebolinha picada.

30 Caldeirada italiana de peixe e frutos do mar

4 porções

3 colheres (sopa) de azeite
1 cebola bem picadinha
1 bulbo de erva-doce bem picado
2 dentes de alho fatiados
1 colher (chá) de semente de erva-doce
400 g de tomate pelado em lata picado
250 g de vôngole limpo
2 litros de caldo de peixe
uma pitada de pistilo de açafrão
250 g de camarão grande cozido
4 filés de trilha ou tilápia com 100 g cada um
400 g de filé de tamboril em pedaços
2 colheres (sopa) de salsa picada

- Aqueça 2 colheres (sopa) de azeite em uma panela grande e refogue a cebola, a erva-doce, o alho e as sementes de erva-doce por 4-5 minutos.
- Junte os tomates picados e deixe cozinhar por mais 12-14 minutos, até os legumes ficarem macios.
- Enquanto isso, aqueça o azeite restante em uma panela e cozinhe os vôngoles, com tampa, por 2-3 minutos, até abrirem. Descarte os vôngoles que não abrirem.
- Adicione o caldo e o açafrão à mistura de tomate e leve à fervura. Junte os camarões e os peixes e cozinhe por 5-6 minutos, até os peixes ficarem cozidos e os camarões, rosados. Complete com o vôngole cozido.
- Junte a salsa picada e sirva imediatamente.

10 Salada de endívia com frutos do mar

Misture 3 colheres (sopa) de azeite extravirgem, suco de ½ limão-siciliano, 1 dente de alho amassado e 2 colheres (sopa) de salsa picada. Junte 300 g de frutos do mar cozidos e resfriados, comprados prontos, 1 bulbo de erva-doce em fatias finas e 200 g de tomate-cereja cortado ao meio. Divida as folhas de 2 pés de endívia entre quatro pratos. Misture bem os frutos do mar com o molho e coloque sobre as folhas de endívia com uma colher. Sirva com pão ciabatta quente.

20 Espaguete com frutos do mar

Cozinhe 300 g de espaguete em uma panela de água fervente, seguindo as instruções da embalagem, até ficar *al dente*. Enquanto isso, aqueça 1 colher (sopa) de azeite em uma frigideira e refogue 1 cebola picada e 2 dentes de alho amassados por 2-3 minutos. Junte 1 colher (chá) de páprica defumada, uma lata de 400 g de tomate pelado picado e 100 ml de caldo de legumes. Leve à fervura, adicione 225 g de frutos do mar cozidos e resfriados, comprados prontos, e cozinhe por 3-4 minutos. Escorra a massa e misture com o molho de frutos do mar e 2 colheres (sopa) de salsa picada. Sirva imediatamente.

20 Atum com molho de tomate e alcaparra

4 porções

4 colheres (sopa) de azeite
600 g de atum fresco em pedaços pequenos
1 cebola grande fatiada
3 pimentões vermelhos cortados em rodelas
8 alcaparras
125 ml de vinho branco
400 g de tomate pelado em lata picado
125 ml de água
2 colheres (sopa) de folha de manjericão picada
8 fatias de pão ciabatta
fatias de limão-siciliano, para servir

- Aqueça 2 colheres (sopa) de azeite em uma frigideira grande e doure o atum de todos os lados.
- Acrescente a cebola, o pimentão vermelho, as alcaparras e o vinho branco. Deixe borbulhar até reduzir o vinho pela metade, depois despeje o tomate picado e a água. Cozinhe por 10-12 minutos. Junte o manjericão.
- Toste a ciabatta dos dois lados, disponha 2 torradas em cada um de quatro pratos, coloque o atum e regue com o molho. Sirva com fatias de limão.

10 Espaguete com atum e alcaparra

Cozinhe 400 g de espaguete em uma panela de água fervente, seguindo as instruções da embalagem, até ficar *al dente*. Enquanto isso, misture 1 cebola roxa com 1 pimenta vermelha bem picadas, 2 dentes de alho amassados, 2 colheres (sopa) de alcaparra, suco de 1 limão-siciliano, 3 colheres (sopa) de azeite, 2 colheres (sopa) de salsa picada e 185 g de atum em lata em pedaços drenado. Escorra o macarrão, misture tudo e sirva.

30 Salada de arroz com atum

Cozinhe 200 g de arroz basmati em uma panela de água fervente, seguindo as instruções da embalagem, até ficar macio. Escorra, passe pela água fria e transfira para uma tigela grande. Junte 185 g de atum em lata em pedaços escorrido, 100 g de ervilha descongelada e escaldada, 2 pimentões vermelhos e 1 amarelo cortados em cubos, 3 tomates picados, 4 cebolinhas fatiadas, 2 colheres (sopa) de salsa picada e 50 g de azeitona verde fatiada. Regue com o suco de 1 limão-siciliano e 3 colheres (sopa) de azeite extravirgem, tempere com sal e pimenta-do-reino moída na hora e misture bem para servir.

20 Salada de feijão cannellini com camarão

4 porções

4 tomates
2 colheres (sopa) de azeite
4 cebolinhas
1 pimenta vermelha sem semente e fatiada
2 dentes de alho fatiados
6-8 folhas de manjericão rasgadas
1 colher (sopa) de vinagre balsâmico
1 colher (chá) de açúcar refinado
400 g de feijão cannellini ou feijão-branco em lata escorrido
225 g de camarão cozido e descascado
1 colher (sopa) de salsa picada
1 pé de alface-romana
sal e pimenta-do-reino moída na hora

- Coloque os tomates em uma tigela e despeje água fervente por cima. Aguarde 1 minuto, escorra e passe pela água fria. Retire a pele dos tomates e corte em cubos. Reserve em uma tigela grande.
- Aqueça o azeite em uma frigideira e refogue a cebolinha, a pimenta vermelha e o alho por 2-3 minutos. Desligue o fogo, acrescente o manjericão e deixe murchar com o calor remanescente.
- Junte o vinagre balsâmico e o açúcar e mexa até o açúcar se dissolver. Tempere com sal e pimenta-do-reino.
- Junte o feijão, o camarão e a salsa picada aos tomates em cubos reservados, regue com o molho e misture bem.
- Divida as folhas de alface-romana entre 4 pratos e coloque a salada por cima com uma colher.

---

10 Feijão cannellini com atum Aqueça 3 colheres (sopa) de azeite em uma frigideira grande e refogue 1 cebola roxa bem picadinha e 2 dentes de alho amassados até ficar tudo macio. Junte 400 g de feijão cannellini ou feijão-branco em lata lavado e escorrido. Cozinhe por 2-3 minutos para infundir os sabores, retire do fogo e junte 4 colheres (sopa) de salsa picada e 185 g de atum em pedaços em lata. Tempere com sal e pimenta e sirva.

30 Espetinho de camarão com alho e feijão cannellini Em uma tigela misture 2 colheres (chá) de mel, suco de 1 limão e 1 dente de alho amassado. Adicione 350 g de camarão cozido e descascado e deixe marinar por 5 minutos. Retire o pé de 100 g de cogumelo-de--paris; corte 1 pimentão vermelho em pedaços médios; fatie uma abobrinha. Retire os camarões da marinada e coloque em espetos, alternando com os legumes. Asse os espetinhos, se possível, sob o grill do forno preaquecido ou em uma chapa com grelha quente e deixe por 6-7 minutos, até a borda dos legumes começar a dourar, pincelando os camarões com a marinada restante de vez em quando. Enquanto isso, prepare a receita de 10 minutos à esquerda, sem o atum, e sirva com os espetinhos quando ficarem prontos, ou coloque a salada dentro de pães pita com alface picada, para acompanhar os espetinhos.

30 Bacalhau picante com molho de tomate

4 porções

2 colheres (sopa) de azeite
1 cebola cortada em cubos
2 dentes de alho amassados
¼ de colher (chá) de pimenta--calabresa
1 pimentão vermelho em fatias finas
400 g de tomate em lata picado
100 ml de vinho branco
12 azeitonas pretas fatiadas
4 filés de lombo de bacalhau sem pele, com cerca de 150 g cada um
vagem no vapor, para servir (opcional)

- Aqueça o azeite em uma frigideira grande e refogue a cebola, o alho e a pimenta-calabresa por 3-4 minutos. Adicione o pimentão e cozinhe por mais 3-4 minutos.
- Junte o tomate picado, o vinho branco e as azeitonas pretas e deixe borbulhar por 8 minutos.
- Disponha os filés de bacalhau na panela e cozinhe por 8-10 minutos, virando uma vez se eles não estiverem cobertos pelo líquido, até ficarem ao ponto.
- Sirva com vagem cozida no vapor, se quiser.

10 Bacalhau com crosta de pesto

Aqueça 1 colher (sopa) de azeite em uma frigideira refratária e cozinhe 4 filés de bacalhau de 150 g cada um por 2-3 minutos. Misture 4 colheres (sopa) de pão amanhecido ralado com ½ pimenta vermelha picadinha, 2 colheres (sopa) de pesto pronto e 3 cebolinhas fatiadas. Coloque a mistura sobre o peixe e pressione levemente. Polvilhe com 1 colher (sopa) de parmesão ralado e asse, se possível, sob o grill do forno preaquecido por 2-3 minutos, até dourar. Sirva com salada verde crocante.

20 Bacalhau com pimenta vermelha e limão-siciliano

Fatie 1 limão-siciliano e disponha algumas fatias sobre 4 pedaços de papel-manteiga. Tempere 4 filés de bacalhau de 150 g cada um com 1 colher (chá) de pimenta-calabresa, ¼ de colher (chá) de páprica defumada e 1 pitada de pimenta-de-caiena. Coloque os filés de bacalhau por cima das fatias de limão. Faça um papilote com o papel-manteiga, deixando uma extremidade aberta para colocar 1 colher (sopa) de vinho branco em cada um. Vede os papilotes e ajeite-os em um refratário. Leve ao forno preaquecido a 200 °C por 15 minutos, até ficar cozido. Retire o peixe do papel e sirva com legumes verdes cozidos no vapor e o caldo do papilote.

30 Tamboril enrolado em presunto cru com lentilha e espinafre

4 porções

4 filés de tamboril sem pele com cerca de 150 g cada um
suco de 1 limão-siciliano
6-8 folhas de manjericão picadas, mais algumas como guarnição
2 colheres (chá) de pimenta-do-reino moída na hora
4 fatias de presunto cru divididas ao meio no comprimento
4 colheres (sopa) de azeite
2 echalotas em cubos
400 g de lentilha em lata escorrida
200 g de espinafre
2 colheres (sopa) de creme de leite fresco
sal a gosto

- Regue o tamboril com metade do suco de limão, o manjericão e a pimenta. Enrole cada filé em duas fatias de presunto cru e leve à geladeira por 10 minutos.
- Enquanto isso, aqueça metade do azeite em uma frigideira e refogue as echalotas por 3-4 minutos. Junte a lentilha e cozinhe por 2-3 minutos, até aquecer completamente.
- Misture o espinafre com a lentilha e espere murchar. Regue com o suco de limão restante, adicione o creme de leite fresco e tempere com sal e pimenta.
- Aqueça o azeite restante em outra frigideira e cozinhe o peixe enrolado por 6-8 minutos, virando 2-3 vezes, até ficar cozido.
- Sirva o tamboril sobre uma camada de lentilha e espinafre, polvilhado com folhas de manjericão rasgadas.

---

10 Salada de tamboril e lentilha Em uma saladeira, misture 150 g de folhas de espinafre com 1 lata de 400 g de lentilha escorrida, 150 g de tomate-cereja cortado ao meio e algumas folhas de manjericão rasgadas. Frite 300 g de tamboril em cubos em 1 colher (sopa) de azeite. Bata 3 colheres (sopa) de azeite extravirgem com 1 colher (sopa) de vinagre balsâmico, 1 pitada de pimenta-calabresa, 1 colher (chá) de açúcar e 2 dentes de alho esmagados. Junte o tamboril à salada, regue com o molho e misture bem. Sirva polvilhado com 2 colheres (sopa) de nozes tostadas.

20 Filé de tamboril com molho de tomate assado Aqueça 2 colheres (sopa) de azeite em uma frigideira e refogue 2 echalotas picadinhas. Adicione 2 dentes de alho amassados, ½ colher (chá) de páprica defumada e 1 pimentão vermelho em fatias finas. Junte 1 lata de 400 g de tomate pelado picado e cozinhe por 5-6 minutos. Misture 100 g de espinafre picado e cozinhe até murchar. Aqueça 1 colher (sopa) de azeite em outra frigideira e frite 450 g de filé de tamboril cortado em pedaços de 2,5 cm por 1-2 minutos de cada lado. Transfira o tamboril para o molho de tomate e misture delicadamente. Junte 2 colheres (sopa) de salsa picada e sirva sobre uma camada de lentilha cozida.

20 Atum com feijão cannellini e pimentão vermelho assado

4 porções

3 pimentões vermelhos cortados ao meio
200 g de atum em lata no óleo
½ colher (chá) de mostarda
½ colher (chá) de mel
½ colher (chá) de vinagre balsâmico
400 g de feijão cannellini ou feijão-branco em lata, lavado e escorrido
1 cebola roxa em fatias finas
65 g de tomate-cereja cortado ao meio
folhas de salsa, para decorar

- Asse os pimentões vermelhos com o lado do corte virado para baixo, se possível sob o grill do forno preaquecido, até a pele ficar tostada. Coloque em uma tigela grande, cubra com filme de PVC e deixe até esfriar o suficiente para manusear. Retire a pele chamuscada e fatie o pimentão.
- Escorra o óleo do atum em uma tigela e misture a mostarda, o mel e o vinagre balsâmico.
- Usando um garfo, quebre o atum e divida-o entre quatro pratos. Adicione as tiras de pimentão, o feijão escorrido, a cebola roxa e o tomate-cereja.
- Regue com o molho e misture suavemente. Sirva decorado com folhas de salsa.

---

10 **Sopa de feijão, pimentão vermelho e camarão** Aqueça 1 colher (sopa) de azeite em uma panela e refogue 1 cebola picada, 2 dentes de alho picados, 2 pimentões vermelhos fatiados e 1 cenoura fatiada. Adicione 2 latas de feijão cannellini, ou feijão-branco, de 400 g cada uma, lavado e escorrido, e 1 litro de caldo de legumes quente. Deixe ferver e cozinhe por 3-4 minutos. Com um processador ou um liquidificador, bata a sopa até ficar homogênea e acrescente 275 g de camarão cozido e descascado. Aqueça por 3 minutos, até ficar bem quente. Sirva com folhas de manjericão picadas e um fio de iogurte natural.

30 **Atum grelhado com brócolis, salada de feijão e pimentão vermelho** Cozinhe 200 g de brócolis em buquês no vapor até ficarem macios e passe, em seguida, pela água fria. Em uma tigela, bata 3 colheres (sopa) de azeite extravirgem com 1 colher (sopa) de vinagre balsâmico, ½ colher (chá) de mel, ½ colher (chá) de mostarda e ½ colher (chá) de pimenta-calabresa. Em uma saladeira, misture 400 g de feijão-de-lima lavado e escorrido, 50 g de tomate seco em fatias, 1 cebola roxa pequena cortada em cubos e 1 pimentão vermelho cortado em cubos. Junte o brócolis e o molho e misture bem. Aqueça 2 colheres (sopa) de azeite em uma frigideira e frite 4 postas de atum de 125 g cada uma por 2-3 minutos de cada lado. Aguarde 2 minutos antes de servir com a salada, polvilhado com 2 colheres (sopa) de pinhole torrado e regado com 2 colheres (sopa) de azeite.

30 Truta assada com azeitona

4 porções

4 trutas com cerca de 225 g cada uma
4 colheres (sopa) de farinha de trigo
2 colheres (sopa) de azeite
1 cebola fatiada
30 g de azeitona verde recheada com pimentão
400 g de tomate picado
suco de 1 limão-siciliano
1 colher (sopa) de alcaparra
2 colheres (sopa) de salsa picada, para decorar

- Polvilhe a truta com a farinha de trigo. Aqueça o azeite em uma frigideira e doure por 2-3 minutos de cada lado. Transfira para um refratário grande o suficiente para ficarem em uma só camada.
- Coloque a cebola e as azeitonas na frigideira, refogue por 3-4 minutos e coloque sobre o peixe. Espalhe também os tomates picados, o suco de limão e as alcaparras e asse em forno preaquecido a 190 °C por 15-18 minutos, até o peixe ficar cozido.
- Sirva com salsa picada, para decorar.

---

10 Patê de truta defumada Coloque 350 g de lasca de truta defumada, 200 g de manteiga sem sal, suco de 1 limão-siciliano, 1 colher (sopa) de molho de raiz-forte (p.24) e 1 pitada de pimenta-de-caiena em um processador ou liquidificador e bata até ficar homogêneo. Junte mais 100 g de lascas de truta defumada com 1 colher (sopa) de creme de leite fresco e 2 colheres (sopa) de cebolinha picada. Sirva com fatias de pão ciabatta tostadas.

---

20 Fusilli cremoso com ervilha e truta defumada Cozinhe 400 g de fusilli em uma panela de água fervente, seguindo as instruções da embalagem, até ficar *al dente*. Adicione 175 g de ervilha congelada no último minuto de cozimento. Enquanto isso, misture 1 colher (sopa) de molho de raiz-forte (p. 24) com 4 colheres (sopa) de creme de leite fresco em uma tigela. Despedace 250 g de filé de truta defumada em outra tigela. Escorra o macarrão e as ervilhas, volte para a panela e junte o creme de leite e a truta. Tempere com sal e pimenta e sirva com salada verde.

10 Filé de robalo com salada de lentilha

4 porções

4 colheres (sopa) de azeite
400 g de lentilha em lata escorrida
2 colheres (sopa) de salsa picada
1 pimentão vermelho cortado em cubos
3 cebolinhas fatiadas
1 grapefruit rosa
4 filés de robalo com cerca de 150 g cada um

- Aqueça 2 colheres (sopa) de azeite em uma panela pequena no fogo médio. Acrescente a lentilha, a salsa, o pimentão vermelho e a cebolinha e cozinhe por 2-3 minutos.
- Descasque e tire a pele dos gomos do grapefruit sobre a panela para aproveitar o suco. Em seguida, junte os gomos com a lentilha.
- Aqueça o azeite restante em uma frigideira e frite os filés de robalo por 2-3 minutos de cada lado, até ficarem ao ponto.
- Sirva sobre uma camada de lentilha.

20 Filé de robalo com purê de batata e azeitona Cozinhe 550 g de batata-bolinha picada em uma panela de água fervente até ficar macia. Enquanto isso, aqueça 2 colheres (sopa) de azeite em uma frigideira e cozinhe 4 filés de robalo de 150 g cada, primeiro com a pele virada para baixo, por 3-4 minutos de cada lado, até ficar cozido. Escorra as batatas, adicione 100 g de tomate-cereja cortado ao meio, 100 g de azeitona preta sem caroço picada, 3 colheres (sopa) de azeite e 1 colher (sopa) de salsa picada e amasse tudo com um garfo. Divida as batatas entre 4 pratos e cubra cada um com 1 filé de robalo.

30 Carpaccio de robalo Fatie bem fino 450 g de filé de robalo sem pele, levemente na diagonal, e disponha em um prato raso. Misture em uma tigela o suco de 1 grapefruit rosa, 3 colheres (sopa) de azeite, 3 cebolinhas em fatias finas e um pouco de pimenta-do-reino moída na hora, batendo até engrossar. Despeje a mistura sobre as fatias de peixe e deixe marinar por 25 minutos. Em um prato de servir, faça uma camada com as folhas picadas de 1 pé de alface-romana e espalhe os gomos de 2 grapefuits rosa. Coloque o peixe marinado por cima e sirva polvilhado com 1 colher (sopa) de gergelim.

30 Vieira ao açafrão com purê de maçã e pistache

4 porções

4 colheres (sopa) de azeite
1 canela em pau
4 cravos
3 maçãs descascadas e picadas
200 g de pistache sem casca
suco de ½ limão-siciliano
1 colher (sopa) de vinagre de xerez
1 colher (sopa) de mel
uma pitadinha de pistilo de açafrão
12 vieiras

- Aqueça 1 colher (sopa) de azeite em uma panela e refogue a canela em pau e os cravos por 1-2 minutos. Junte as maçãs e cozinhe em fogo baixo por 4-5 minutos, até ficarem macias.
- Retire as especiarias, adicione metade do pistache e cozinhe por mais 3-4 minutos. Coloque a mistura em um processador ou liquidificador e bata até ficar homogêneo. Junte o suco de limão e reserve, mantendo o purê quente.
- Coloque o pistache restante em um processador ou liquidificador e bata até moer. Misture 2 colheres (sopa) de azeite.
- Aqueça o vinagre de xerez em uma panela pequena e deixe ferver até reduzir a 1 colher (chá). Junte o mel e o açafrão.
- Aqueça o azeite restante em uma frigideira e sele as vieiras por 1 minuto de cada lado – não cozinhe demais. Despeje o xarope de açafrão e mel na panela nos últimos 30 segundos.
- Divida o purê entre quatro tigelas rasas aquecidas. Cubra cada uma com três vieiras e regue com o azeite de pistache.

10 Salada de vieira e agrião Misture 60 g de cada folha (rúcula, espinafre e agrião), mais 1 maçã em fatias finas e 2 colheres (sopa) de molho italiano para salada. Aqueça 2 colheres (sopa) de óleo de girassol em uma frigideira e frite 6 folhas de sálvia até ficarem crocantes. Aqueça bem 1 colher (sobremesa) de manteiga e 1 colher (sopa) de azeite e frite 12 vieiras por 1 minuto de cada lado. Disponha as vieiras sobre a salada, polvilhe com 1 colher (sopa) de alcaparra, 2 colheres (sopa) de pistache, as folhas de sálvia crocante e sirva.

20 Vieira enrolada no bacon com coleslaw Corte 6 fatias de bacon ao meio no sentido do comprimento e enrole 12 vieiras. Use um palito para fixar. Regue as vieiras com suco de limão-siciliano e coloque em uma assadeira. Leve ao forno preaquecido a 190 °C por 15 minutos. Enquanto isso, coloque 2 maçãs raladas, 2 cenouras raladas e ½ repolho verde em fatias bem finas em uma saladeira e misture 2 colheres (sopa) de azeite, 1 colher (chá) de mel e suco de ½ limão-siciliano. Polvilhe com 1 colher (sopa) de pistache picado. Sirva as vieiras com a salada de repolho coleslaw.

20 Mexilhão cremoso com pancetta

4 porções

4 fatias de pão italiano crocante
3 dentes de alho, sendo 1 inteiro e 2 amassados
2 colheres (sopa) de azeite
200 g de pancetta em cubos
1,5 kg de mexilhão limpo
200 ml de sidra
3 colheres (sopa) de creme de leite fresco
1 colher (sopa) de estragão
1 colher (sopa) de salsa picada

- Toste as fatias de pão dos dois lados, esfregue o dente de alho inteiro em cada uma e disponha em uma tigela rasa aquecida.
- Aqueça o azeite em uma panela grande e frite a pancetta por 2-3 minutos, até ficar crocante. Retire da panela com uma escumadeira.
- Coloque o mexilhão na panela com o alho picado e a sidra. Tampe e deixe cozinhar no vapor por 3-4 minutos, ou até abrirem. Descarte os que ficaram fechados.
- Retire os mexilhões com uma escumadeira e distribua em pratos fundos aquecidos, sobre as torradas.
- Adicione o creme de leite ao caldo do mexilhão e deixe ferver por 1-2 minutos. Junte as ervas e a pancetta e aqueça bem antes de regar os mexilhões e servir.

---

10 Aspargo com molho de mexilhão

Para o molho, coloque em uma panela pequena 100 g de mexilhão sem casca cozido comprado pronto e 2 dentes de alho amassados com 150 ml de caldo de peixe quente e cozinhe por 2 minutos. Adicione 300 ml de creme de leite fresco e 1 colher (sopa) de salsa picada e deixe por 4-5 minutos, até o molho engrossar. Enquanto isso, enrole 12 aspargos com uma fatia de pancetta em cada um e regue com 2 colheres (sopa) de azeite. Aqueça um grill e grelhe os aspargos por 4-5 minutos, virando de vez em quando, até dourar de todos os lados. Sirva com o molho de mexilhão.

30 Risoto de mexilhão e açafrão

Aqueça 25 g de manteiga em uma panela grande, refogue 2 echalotas picadas por 1 minuto e despeje 150 ml de vinho branco. Deixe ferver e adicione 1 kg de mexilhão limpo, tampe e cozinhe por 2-3 minutos, até os mexilhões abrirem. Descarte os que não abriram. Coe os mexilhões e reserve o líquido de cozimento em uma panela. Retire os mexilhões da casca e reserve. Complete o líquido de cozimento reservado com caldo de peixe até completar 1 litro e mantenha aquecido. Aqueça 25 g de manteiga em uma panela separada, refogue 2 echalotas picadas por 2 minutos e junte 300 g de arroz arbório. Despeje uma concha do caldo quente, adicione 2 pitadas de açafrão e cozinhe, mexendo sempre, até o líquido ser todo absorvido. Repita com o caldo quente restante, uma concha de cada vez, até o arroz ficar *al dente*. Junte os mexilhões reservados e sirva polvilhado com parmesão ralado.

10 Salada de camarão e tomate

4 porções

500 g de camarão cozido e descascado
3 tomates grandes picados
1 pimentão vermelho picado
4 cebolinhas fatiadas
25 g de rúcula
3 colheres (sopa) de azeite extravirgem
2 colheres (sopa) de vinagre de vinho tinto
½ colher (chá) de semente de cominho

- Em uma saladeira, junte os camarões com os tomates, o pimentão vermelho, a cebolinha e as folhas de rúcula.
- Misture o azeite, o vinagre de vinho tinto e as sementes de cominho em uma tigelinha ou molheira.
- Regue a salada com o molho e sirva.

---

20 Camarão com tomate-coração-de-boi e muçarela Fatie 3 tomates-coração-de-boi e 2 abobrinhas e leve ao grill, a uma chapa com grelha ou a uma churrasqueira quente até ficar chamuscado dos dois lados. Em um prato grande, faça camadas com os tomates, as abobrinhas, 200 g de muçarela fatiada, 12 folhas de manjericão rasgadas e cerca de 12 camarões cozidos e descascados. Regue com 3 colheres (sopa) de azeite extravirgem e o suco de ½ limão-siciliano e deixe descansar por 5 minutos. Sirva polvilhado com 2 colheres (sopa) de pinhole torrado.

---

30 Tomate-coração-de-boi recheado com camarão Aqueça 1 colher (sopa) de azeite em uma frigideira e frite 2 dentes de alho picados, 2 cebolinhas fatiadas e 10 camarões grandes cozidos e descascados por 4-5 minutos. Misture 100 g de pão amanhecido ralado e 2 colheres (sopa) de salsa picada e tempere a gosto. Corte 4 tomates-coração-de-boi ao meio na horizontal, retire as sementes e disponha em uma assadeira. Recheie com a mistura de camarão. Polvilhe com 2 colheres (sopa) de parmesão ralado e asse em forno preaquecido a 220 °C por 18-20 minutos. Sirva com salada verde.

20 Trilha frita com vagem

4 porções

300 g de vagem
2 colheres (sopa) de azeite
1 cebola roxa picada
2 pimentões vermelhos fatiados
4 filés de trilha com cerca de 150 g cada um
2 colheres (sopa) de avelã picada
2 colheres (sopa) de salsa picada

- Cozinhe a vagem na água ou no vapor em uma panela de água fervente até ficar macia. Escorra e reserve.
- Enquanto isso, aqueça 1 colher (sopa) de azeite em uma frigideira, refogue a cebola por 2-3 minutos, adicione o pimentão vermelho e cozinhe por mais 2-3 minutos.
- Aqueça o azeite restante em outra frigideira e frite os filés de trilha por 3-4 minutos de cada lado, até ficarem ao ponto.
- Junte a vagem cozida e as avelãs com o pimentão, retire do fogo e adicione a salsa picada.
- Sirva os filés sobre uma camada de vagem com pimentão.

---

10 Trilha com molho de tomate e ervas

Aqueça 1 colher (sopa) de azeite em uma frigideira e frite 4 filés de trilha de 150 g cada um por 3 minutos de cada lado, derramando o suco de 1 laranja quando o peixe for virado. Retire o peixe da frigideira e mantenha aquecido. Adicione à panela 6 tomates picados, 1 colher (sopa) de estragão picado e 1 colher (sopa) de endro e cozinhe por 3-4 minutos. Sirva o peixe com o molho de tomate.

30 Trilha enrolada na pancetta com aspargo e batata ao murro

Enrole 4 filés de trilha com 150 g cada um com 2 fatias de pancetta sobrepostas e 2-3 folhas de manjericão entre a pancetta e o peixe. Cozinhe 300 g de batata em uma panela de água fervente até ficar macia. Escorra, adicione 50 g de azeitona preta picada, 2 colheres (sopa) de azeite e um pouco de sal e pimenta-do-reino moída na hora. Esmague as batatas de leve. Enquanto isso, misture 350 g de aspargo com 1 colher (sopa) de azeite, refogue por 4-5 minutos, até ficar levemente tostado, retire do fogo e mantenha aquecido. Aqueça mais 1 colher (sopa) de azeite na frigideira e cozinhe o peixe envolto na pancetta por 3-4 minutos de cada lado, até ficar ao ponto. Sirva com as batatas e os aspargos.

20 Caldeirada de frutos do mar

4 porções

4 colheres (sopa) de azeite
1 cebola cortada em cubos
4 dentes de alho amassados
100 ml de vinho branco
400 g de tomate pelado em lata picado
200 ml de caldo de peixe
uma pitada de pistilos de açafrão
400 g de frutos do mar cozidos comprados prontos
2 colheres (sopa) de salsa picada
pão crocante, para servir (opcional)

- Aqueça o azeite em uma panela de fundo grosso e refogue a cebola e o alho por 3-4 minutos. Despeje o vinho branco e deixe ferver por 2-3 minutos. Adicione os tomates picados, o caldo de peixe e o açafrão.
- Deixe ferver, junte os frutos do mar e a salsinha picada e cozinhe por 5-6 minutos para aquecer bem.
- Sirva com pão crocante, se preferir.

---

10 Salada de frutos do mar Em uma saladeira, misture 400 g de frutos do mar cozidos comprados prontos com 1 pimentão vermelho e 1 amarelo sem semente e cortados em cubos, 4 cebolinhas fatiadas, 200 g de tomate-cereja cortado ao meio e 50 g de rúcula. Junte 2 colheres de azeite e o suco de 1 limão--siciliano. Sirva com pão crocante.

30 Risoto de frutos do mar Aqueça 2 colheres (sopa) de azeite em uma panela e refogue 1 cebola em cubos, 1 pimenta vermelha bem fatiada e 2 dentes de alho esmagados por 2-3 minutos. Junte 350 g de arroz arbório e 2 colheres (sopa) de extrato de tomate e cozinhe por 1-2 minutos. Despeje 100 ml de vinho branco e cozinhe por 1-2 minutos, até evaporar. Junte 1 concha de uma panela com cerca de 1 litro de caldo de peixe quente e mexa sem parar até tudo ser absorvido. Repita com o caldo quente restante, uma concha por vez, até o arroz ficar *al dente*. Junte 400 g de frutos do mar cozidos comprados prontos, um punhadinho de salsa picada e cozinhe por 2-3 minutos, ou até os mariscos ficarem quentes. Esprema o suco de ½ limão-siciliano e sirva imediatamente.

30 Sardinha marinada

4 porções

12 sardinhas limpas e abertas
100 ml de azeite
raspas e suco de 1 limão
2 colheres (sopa) de folhas de manjericão picadas
¼ de colher (chá) de pimenta--calabresa

Para servir

fatias de limão-siciliano
pão ciabatta ou salada verde crocante (opcional)

- Disponha as sardinhas em um prato raso não metálico.
- Bata o azeite com o suco de limão, o manjericão e a pimenta em uma tigelinha e regue as sardinhas. Cubra com filme de PVC e leve à geladeira por 20 minutos.
- Asse os filés de sardinha no forno preaquecido, de preferência sob o grill, por 1-2 minutos de cada lado, até ficar ao ponto.
- Sirva com fatias de limão e pão ciabatta ou salada verde crocante, se quiser.

10 Bruschetta de sardinha e tomate

Toste levemente 8 fatias de pão ciabatta dos dois lados e esfregue cada fatia com 1 dente de alho. Fatie finamente 3 tomates e cubra as torradas com as fatias. Coloque algumas folhas de rúcula em cada uma. Complete a bruschetta com 2 latas de 115 g de sardinha no óleo escorrida. Regue com o óleo da lata e tempere com pimenta--do-reino moída na hora.

20 Sardinha com feijão-de-lima

Aqueça 2 colheres (sopa) de azeite em uma frigideira grande e frite 8 sardinhas passadas na farinha de trigo com sal e pimenta-do-reino moída na hora, 3 minutos de cada lado, até ficarem cozidas. Retire da frigideira e mantenha aquecido. Junte 1 colher (sopa) de azeite na frigideira e frite 2 dentes de alho picados por 1 minuto. Adicione 100 ml de vinho branco e deixe ferver por 1 minuto, raspando o que estiver grudado no fundo da frigideira. Acrescente 400 g de feijão-de--lima ou feijão-branco enlatado lavado e escorrido, 200 g de tomate-cereja e 3 colheres (sopa) de salsa picada. Volte a sardinha à frigideira, esprema o suco de 1 limão-siciliano e tempere com sal e pimenta--do-reino moída na hora. Sirva com pão crocante para sugar o caldo.

10 Salada de atum e feijão cannellini

4 porções

410 g de atum enlatado escorrido
100 g de tomate picado
30 g de azeitona preta sem caroço
1 lata de 400 g de feijão cannellini ou feijão-branco lavado e escorrido
1 cebola roxa fatiada
50 g de rúcula
azeite extravirgem, para servir

- Coloque o atum em uma tigela de servir e quebre-o em pedaços com um garfo.
- Misture o tomate picado, as azeitonas pretas, o feijão, a cebola roxa e as folhas de rúcula.
- Regue com azeite e sirva imediatamente.

---

20 Salada rápida de vagem e atum Faça a Salada de vagem (à direita). Misture delicadamente 410 g de atum enlatado e escorrido, em pedaços.

30 Atum na frigideira com salada de vagem Coloque 4 postas de atum de 150 g em uma tábua e tempere os dois lados com pimenta-do-reino moída na hora. Cozinhe 450 g de vagem no vapor por 4-5 minutos. Enquanto isso, misture em uma saladeira 3 colheres (sopa) de azeite extravirgem com o suco de 1 limão-siciliano e ½ colher (chá) de mel. Junte 50 g de tomate seco picado e 40 g de azeitona preta picada. Misture a vagem com o molho. Toste 65 g de avelã em uma frigideira seca, pique grosseiramente e misture com a vagem. Aqueça 1 colher (sopa) de azeite em uma frigideira e frite o atum por 3-4 minutos de cada lado, dependendo do ponto de sua preferência. Sirva o atum frito sobre uma camada de salada de vagem.

Carnes e aves

Listas de receitas por tempo de preparo

30

20

30 Cordeiro ensopado com polenta

4 porções

450 g de paleta de carneiro em cubos pequenos
2 colheres (sopa) de farinha de trigo temperada com sal e pimenta-do-reino moída na hora
2 colheres (sopa) de azeite
1 cebola picada
2 cenouras em cubos
2 dentes de alho picados
½ colher (sopa) de alecrim
200 ml de vinho branco
400 g de tomate pelado em lata picado
12 azeitonas pretas sem caroço
raspas e suco de 1 limão-siciliano
2 colheres (sopa) de salsa picada
200 g de fubá pré-cozido
25 g de manteiga
2 colheres (sopa) de parmesão

- Polvilhe os cubos de cordeiro com a farinha temperada. Aqueça o azeite em uma panela e doure a carne por inteiro.
- Junte a cebola e cozinhe por 3-4 minutos, mexendo sempre. Acrescente a cenoura, o alho e o alecrim. Cozinhe por 3-4 minutos.
- Despeje o vinho branco e o tomate picado, espere ferver e deixe borbulhar por 20 minutos, até o cordeiro ficar macio.
- Adicione as azeitonas, as raspas e o suco de limão e a salsa picada 1 minuto antes de finalizar o cozimento.
- Enquanto isso, coloque 800 ml de água para ferver em outra panela e adicione o fubá pré-cozido. Cozinhe por 1 minuto, mexendo sem parar, até adquirir a consistência de polenta. Junte a manteiga e o parmesão ralado e divida entre quatro tigelas.
- Coloque o cordeiro ensopado sobre a polenta e sirva.

---

10 Costeleta de cordeiro com polenta frita Aqueça 2 colheres (sopa) de azeite em uma frigideira e frite 8 fatias de polenta pronta por 2 minutos de cada lado. Reserve e mantenha aquecida. Adicione 1 colher (sopa) de azeite na mesma frigideira e frite 1 cebola em cubos pequenos e 1 pimenta vermelha picadinha por 1 minuto. Junte 8 costeletas de cordeiro e uma pitada de orégano. Cozinhe por 2 minutos de cada lado. Acrescente um fio de vinho tinto e 2 colheres (sopa) de azeitona preta. Sirva as costeletas com a polenta frita.

20 Carré de cordeiro com alecrim e azeitona Aqueça 1 colher (sopa) de azeite em uma frigideira e doure 2 carrés de cordeiro de 750 g a 1 kg cada um. Disponha em uma assadeira e adicione 300 ml de vinho branco, 2-3 raminhos de alecrim, 30 azeitonas pretas sem caroço e 3 colheres (sopa) de alcaparras. Asse em forno preaquecido a 200 °C durante 15 minutos. Enquanto isso, cozinhe no vapor 200 g de brócolis em buquês e 2 abobrinhas fatiadas. Sirva o cordeiro cortado em costeletas com o caldo da assadeira e um prato de legumes cozidos no vapor, para acompanhar.

30 Carpaccio de carne

4 porções

1 filé de carne bovina com cerca de 250 g
3 colheres (sopa) de azeite extravirgem
1 colher (chá) de pimenta-do--reino moída na hora
1 colher (sopa) de folhas frescas de tomilho
1 colher (chá) de mostarda de Dijon
½ colher (sopa) de vinagre balsâmico
½ colher (chá) de mel
60 g de rúcula
25 g de lascas de parmesão para servir

- Coloque a carne sobre uma tábua de corte e esfregue com 1 colher (sopa) de azeite, a pimenta e o tomilho. Embrulhe em filme de PVC e leve ao freezer por 20 minutos.
- Enquanto isso, misture o resto do azeite em uma tigela com a mostarda, o vinagre e o mel. Arrume a rúcula em um prato de servir.
- Desembrulhe a carne, corte-a tão fino quanto possível e disponha-a sobre as folhas de rúcula.
- Sirva polvilhado com lascas de parmesão e regue com o molho.

---

10 Pão ciabatta com picanha

Esfregue azeite em 450 g de picanha e tempere com pimenta--do-reino moída na hora. Aqueça uma chapa com grelha, ou grill, até ficar bem quente e grelhe por 3-4 minutos de cada lado. Deixe descansar. Enquanto isso, refogue 1 cebola roxa fatiada em uma frigideira por 1-2 minutos. Toste na grelha 4 pães ciabatta abertos com o lado do corte para baixo. Em uma das metades do pão, espalhe 1 colher (sopa) de maionese misturada com 1 colher (chá) de mostarda com grãos e cubra com um punhado de agrião e a cebola refogada. Fatie a carne e coloque por cima. Cubra com a outra metade da ciabatta e sirva.

---

20 Salada com carne grelhada

Em uma tigela pequena, misture 3 colheres (sopa) de azeite extravirgem com 1 colher (sopa) de vinagre balsâmico, ½ colher (chá) de molho de raiz-forte (p. 24) e ½ colher (chá) de mel. Aqueça uma chapa com grelha, um grill ou uma churrasqueira, e grelhe 450 g de picanha até ficar cozida ao seu gosto. Deixe descansar. Em uma tigela, misture 75 g de folhas de salada mista, 2 tomates-coração-de-boi em fatias finas, 2 abacates fatiados e 1 pimentão amarelo fatiado. Divida a salada entre quatro pratos. Fatie a carne e disponha sobre a salada. Regue com o molho de raiz-forte, para servir.

30 Frango à parmigiana

4 porções

2 colheres (sopa) de farinha de trigo
2 ovos batidos
100 g de pão amanhecido ralado
75 g de parmesão ralado
4 filés de frango grossos, de cerca de 150 g cada um
3 colheres (sopa) de azeite
1 cebola cortada em cubos
2 dentes de alho amassados
400 g de tomate pelado em lata picado
1 colher (chá) de orégano
¼ de colher (chá) de pimenta-calabresa
8-10 folhas de manjericão rasgadas
200 g de muçarela fatiada

- Coloque a farinha em uma tigela rasa, os ovos em outra e o pão ralado misturado com o parmesão em uma terceira.
- Passe cada filé de frango primeiro na farinha, depois no ovo e, por fim, na mistura de pão e parmesão, deixando completamente revestido. Leve à geladeira por alguns minutos.
- Aqueça 1 colher (sopa) de azeite em uma frigideira e refogue a cebola e o alho por 2-3 minutos. Adicione o tomate picado, o orégano e a pimenta-calabresa e cozinhe por 10 minutos.
- Enquanto isso, aqueça o azeite restante em outra frigideira e frite os filés de frango por 3-4 minutos de cada lado, até dourar.
- Despeje o molho de tomate em um refratário. Coloque o frango por cima e polvilhe com o manjericão. Cubra cada um com fatias de muçarela e leve ao forno preaquecido a 200 °C por 10 minutos, ou até a muçarela derreter e dourar e o frango ficar cozido.

10 Salada rápida de frango

Desfie grosseiramente 3 peitos de frango cozidos ou compre desfiado. Misture-os em uma tigela com 2 mangas fatiadas, 50 g de agrião e 100 g de queijo fontina picado. Bata 3 colheres (sopa) de azeite com 1 colher (sopa) de vinagre balsâmico e ½ colher (chá) de mostarda. Despeje sobre a salada e polvilhe com 2 colheres (sopa) de semente torrada de abóbora para servir.

20 Sopa de frango e parmesão

Aqueça 1 colher (sopa) de azeite em uma panela e adicione 1 cebola em cubos, 2 dentes de alho amassados e 2 peitos de frango sem pele em cubos. Cozinhe por 5-6 minutos, mexendo de vez em quando. Despeje 750 ml de caldo de galinha, 100 ml de vinho branco e 400 g de tomate pelado em lata picado. Espere ferver e cozinhe por 12 minutos. Junte 3 colheres (sopa) de parmesão ralado e 2 colheres (sopa) de folhas de manjericão picadas. Sirva com pão crocante.

20 Vitela com presunto cru e sálvia

4 porções

4 escalopes de vitela com cerca de 150 g cada um
4 fatias de presunto cru
4 folhas de sálvia
2 colheres (sopa) de farinha de trigo
3 colheres (sopa) de azeite
350 g de vagem
raspas de 1 limão-siciliano
25 g de manteiga
100 ml de vinho branco
sal e pimenta-do-reino moída na hora

- Coloque cada escalope entre dois pedaços de filme de PVC e, usando um martelo de carne ou rolo de massa, achate cada um até ficar com uma espessura de cerca de 5 mm.
- Coloque 1 fatia de presunto e 1 folha de sálvia sobre cada escalope e prenda com um palito.
- Coloque a farinha em um prato e tempere com sal e pimenta. Passe cada escalope na farinha temperada.
- Cozinhe a vagem no vapor e misture com 1 colher (sopa) de azeite e as raspas de limão; mantenha aquecida.
- Aqueça a manteiga e o azeite restante em uma frigideira e frite os escalopes por 2-3 minutos de cada lado.
- Retire da panela e regue com o vinho, raspando o fundo da frigideira. Ferva por 1-2 minutos.
- Sirva os escalopes sobre uma camada de vagem com o molho por cima.

---

10 Salada de vagem e presunto cru

Cozinhe 450 g de vagem no vapor e frite 8 fatias de presunto cru em 1 colher (sopa) de azeite até ficar crocante. Misture delicadamente a vagem cozida com 2 abacates picados, 100 g de tomate-cereja cortado ao meio, 2 colheres (sopa) de pinhole torrado e 200 g de muçarela rasgada. Regue com 3 colheres (sopa) de azeite e suco de ½ limão-siciliano e cubra com o presunto crocante picado.

30 Vitela com tagliatele cremoso e presunto cru crocante

Cozinhe 400 g de tagliatelle em uma panela de água fervente, seguindo as instruções da embalagem, até ficar *al dente*. Enquanto isso, corte 400 g de escalope de vitela em tiras e polvilhe com farinha temperada com sal e pimenta-do-reino. Aqueça 2 colheres (sopa) de azeite em uma frigideira e cozinhe a vitela por 6-7 minutos, até dourar. Retire da frigideira e mantenha aquecida. Junte 1 cebola picada à frigideira e refogue até dourar, por aproximadamente 10 minutos. Regue com 100 ml de vinho branco e cozinhe por 4-5 minutos. Adicione 250 ml de creme de leite, 2-3 colheres (sopa) de caldo de galinha e 2 tomates sem sementes, descascados e picados. Enquanto isso, asse 8 fatias de presunto cru sob um grill do forno preaquecido por 3-4 minutos de cada lado, até ficar crocante. Volte a vitela à panela com o macarrão escorrido e 2 colheres (sopa) de salsa picada. Misture bem e sirva coberto com o presunto crocante e polvilhado com 2 colheres (sopa) de parmesão ralado.

30 Bife de porco ao limão e alecrim com salada de feijão cannellini

4 porções

1 colher (sopa) de azeite
2 colheres (chá) de alecrim picado
4 dentes de alho amassados
raspas e suco de 1 limão-siciliano
4 bifes de porco sem osso com cerca de 150 g cada um
1 cebola roxa fatiada
2 colheres (sopa) de vinagre de xerez
2 latas de 400 g cada de feijão cannellini ou feijão-branco escorrido e lavado
110 g de folhas de salada mista

- Em uma tigela não metálica misture o azeite com o alecrim, o alho e o suco de limão. Junte os bifes de carne de porco e misture à marinada para revestir. Deixe descansar por 10 minutos.
- Aqueça uma frigideira grande com grelha, ou grill, e grelhe os bifes de porco por 3-4 minutos de cada lado, até ficarem cozidos. Retire da grelha e mantenha aquecido.
- Despeje o restante da marinada na frigideira, junte a cebola, cozinhe por 2-3 minutos, despeje o vinagre de xerez e deixe ferver por 1-2 minutos.
- Adicione o feijão escorrido e aqueça.
- Misture o feijão com as folhas de salada e sirva com a carne de porco.

---

10 Salada de pancetta com feijão cannellini

Aqueça 2 colheres (sopa) de azeite em uma frigideira e refogue 1 cebola roxa fatiada, 125 g de pancetta em cubos e 2 dentes de alho esmagados por 2-3 minutos. Junte 1 pimentão vermelho cortado em cubos e cozinhe por mais 1 minuto. Despeje 2 latas de 400 g cada de feijão canellinni ou feijão-branco lavado e escorrido e cozinhe por 1-2 minutos, até aquecer completamente. Misture 2 colheres (sopa) de folhas de manjericão picadas, sal, pimenta-do-reino moída na hora, suco de ½ limão-siciliano e sirva.

---

20 Bife de porco com parmesão e feijão canellinni

Disponha 4 bifes de porco de 175 g cada um entre dois pedaços de filme de PVC e, usando um martelo de carne ou rolo de massa, achate cada um até a espessura de cerca de 1 cm. Em um prato raso, misture 25 g de pão amanhecido ralado com um punhadinho de sálvia picada e 2 colheres (sopa) de parmesão ralado. Coloque 1 ovo batido em outro prato raso. Mergulhe cada bife de porco primeiro no ovo e depois na mistura de pão, para revestir. Aqueça 2 colheres (sopa) de azeite em uma frigideira e frite os bifes por 3-4 minutos de cada lado, até dourar. Enquanto isso, aqueça 400 g de feijão canellinni ou feijão-branco enlatado, lavado e escorrido em uma panela pequena, depois misture com 1 colher (sopa) de azeite e 1 colher (sopa) de salsa picada. Sirva os bifes com o feijão e repolho refogado.

10 Pão pita recheado com cordeiro

4 porções

25 g de rúcula
20 azeitonas verdes sem caroço e fatiadas
2 pimentões vermelhos fatiados
2 abacates picados
2 tomates picados
4 cebolinhas fatiadas
1 colher (sopa) de molho italiano para salada
4 pães pita
300 g de cordeiro cozido fatiado, ou rosbife caseiro

- Em uma tigela, misture as folhas de rúcula com as azeitonas, o pimentão, o abacate, o tomate e a cebolinha.
- Junte o molho italiano para salada.
- Asse os pães sob o grill do forno preaquecido por 1-2 minutos. Enquanto eles ainda estão quentes, passe uma faca só de um lado e abra.
- Divida o cordeiro cozido entre cada pão e complete com a salada para servir.

20 Pizza com carne

Aqueça 1 colher (sopa) de azeite em uma frigideira e refogue 1 cebola em cubos, 1 pimentão vermelho fatiado e 2 dentes de alho amassados por 1-2 minutos. Junte 400 g de carne moída e deixe dourar. Adicione 400 g de tomate pelado em lata picado e 2 colheres (sopa) de extrato de tomate e cozinhe por 3-4 minutos. Coloque a mistura sobre quatro bases de pizza pronta, polvilhe com 300 g de muçarela ralada e asse em forno preaquecido a 220 °C por 11-12 minutos, até dourar

30 Calzone de carne

Para a massa, coloque em uma tigela grande 500 g de farinha de trigo especial para pão, 7 g de fermento biológico seco instantâneo e uma pitada de sal; misture bem. Faça uma cova no meio e junte 1 colher (sopa) de azeite e dois terços de um total de 300 ml de água morna. Misture com as mãos, colocando mais água, se necessário, até obter uma massa macia e não pegajosa. Transfira para uma superfície enfarinhada e sove por 5-10 minutos, até ficar lisa e elástica. Divida em 4 partes e abra cada uma em discos de 20 cm. Em uma tigela, misture 150 g de tomate-cereja cortado ao meio, 200 g de muçarela picada, 100 g de presunto cru, 100 g de salame, 1 colher (sopa) de alcaparra e 40 g de parmesão ralado. Divida entre os quatro discos de massa, colocando a mistura sobre uma das metades de cada círculo, deixando uma borda de 2,5 cm. Pincele as bordas limpas da massa com água, dobre a outra metade sobre o recheio e aperte as extremidades para vedar. Coloque os calzones em uma assadeira grande e leve ao forno preaquecido a 220 °C por 6-8 minutos, até a massa ficar cozida e o recheio, quente.

10 Fígado de cordeiro com sálvia e purê de batata

4 porções

600 g de purê de batata comprado pronto
450 g de fígado de cordeiro em fatias finas
2 colheres (sopa) de farinha de trigo temperada com sal e pimenta-do-reino moída na hora
50 g de manteiga
4-5 folhas de sálvia picadas

- Aqueça o purê de batatas seguindo as instruções da embalagem.
- Enquanto isso, polvilhe o fígado de cordeiro com a farinha temperada.
- Aqueça a manteiga em uma frigideira e frite o fígado com as folhas de sálvia por 1-2 minutos de cada lado.
- Sirva com o purê de batata aquecido, despejando a manteiga e o caldo por cima.

---

20 Fígado de cordeiro com cogumelo e polenta de ervas Polvilhe 450 g de fígado de cordeiro com 2 colheres (sopa) de farinha de trigo temperada com sal e pimenta-do-reino moída na hora. Aqueça 1 colher (sopa) de azeite em uma frigideira e frite o fígado por 2 minutos de cada lado. Reserve e mantenha aquecido. Aqueça mais 1 colher (sopa) de azeite em uma frigideira limpa e refogue 1 cebola fatiada e 150 g de cogumelo portobello fatiado por 4-5 minutos. Enquanto isso, ferva 800 ml de água em uma panela. Despeje 200 g de fubá pré-cozido e cozinhe por 1-2 minutos, mexendo sem parar, até adquirir a consistência de polenta. Prepare 1 colher (sopa) de cebolinha picada e 1 colher (sopa) de salsa picada e misture metade com a polenta. Adicione as ervas restantes à mistura de cogumelos, junte o fígado e o suco de 1 limão-siciliano e aqueça por 1 minuto. Sirva o fígado e os cogumelos sobre a polenta com ervas.

---

30 Tagliatelle com fígado e tomate Aqueça 1 colher (sopa) de azeite em uma frigideira e refogue 1 cebola fatiada com 4 fatias de bacon picadas durante 3-4 minutos. Junte 400 g de tomate pelado em lata picado, 1 colher (sopa) de molho inglês, 1 colher (sopa) de extrato de tomate, ¼ de colher (chá) de ervas da Provença secas e 150 ml de caldo de legumes. Deixe ferver e cozinhe por 12-15 minutos. Enquanto isso, aqueça 50 g de manteiga em outra frigideira e cozinhe 450 g de fígado de cordeiro enfarinhado e em fatias finas por 1-2 minutos de cada lado. Cozinhe 350 g de tagliatelle em uma panela de água fervente, seguindo as instruções da embalagem, até ficar *al dente*. Escorra e divida entre quatro pratos. Junte o fígado ao molho de tomate e sirva sobre a massa.

10 Salada rápida de fígado de galinha

4 porções

4 fatias de bacon
400 g de fígado de galinha
1 colher (sopa) de azeite extravirgem
20 g de agrião
1 pé de alface-romana com as folhas rasgadas
1 cebola roxa em fatias finas
sal e pimenta-do-reino moída na hora
molho italiano para salada, para servir

- Doure as fatias de bacon em um grill preaquecido até ficarem crocantes. Deixar esfriar e pique grosseiramente.
- Enquanto isso, tempere o fígado de galinha com sal e pimenta.
- Aqueça o azeite em uma frigideira e frite o fígado até ficar dourado por fora e rosado no meio. Deixe esfriar um pouco e corte em pedaços pequenos.
- Em uma saladeira grande, junte o agrião com as folhas de alface rasgadas e a cebola roxa.
- Acrescente o fígado e o bacon picado, regue com o molho de salada e sirva imediatamente.

---

20 Fígado de vitela com cebola caramelizada Aqueça 2 colheres (sopa) de azeite e 25 g de manteiga em uma frigideira e acrescente 3 cebolas grandes fatiadas. Cozinhe em fogo médio por 15 minutos, mexendo com frequência. Adicione uma pitada de vinagre balsâmico e 1 colher (sopa) de açúcar mascavo e cozinhe por mais 3-4 minutos. Enquanto isso, aqueça 2 colheres (sopa) de azeite e 30 g de manteiga em outra frigideira e frite 500 g de fígado de vitela por 2-3 minutos de cada lado. Sirva com a cebola por cima.

---

30 Fígado de vitela com sálvia crocante, espinafre e purê de batata Descasque 875 g de batata e corte em metades ou quartos de tamanhos iguais. Cozinhe em uma panela de água fervente até ficar macia. Aqueça 2 colheres (sopa) de azeite e 30 g de manteiga em uma frigideira e frite 8-10 folhas de sálvia até ficarem crocantes. Retire da panela e ponha sobre papel-toalha. Escorra as batatas, amasse com 2 colheres (sopa) de creme de leite fresco e mantenha aquecidas. Frite 500 g de fígado de vitela na mesma frigideira da sálvia por 2-3 minutos de cada lado. Enquanto isso, aqueça mais 2 colheres (sopa) de azeite em uma frigideira limpa e refogue 500 g de espinafre até murchar. Divida o purê de batata entre quatro pratos e cubra com o espinafre, o fígado e as folhas de sálvia. Regue com o caldo da frigideira por cima e sirva imediatamente.

30 Bife de porco empanado no fubá, salada de pera e rúcula

4 porções

4 colheres (sopa) de fubá pré-cozido
4 colheres (sopa) de parmesão ralado
2 colheres (sopa) de farinha de trigo
1 ovo batido
4 bifes de lombo de porco com cerca de 150 g cada um
3 peras fatiadas
1 cebola roxa fatiada
75 g de rúcula
2 colheres (sopa) de nozes
3 colheres (sopa) de azeite
1 colher (sopa) de vinagre balsâmico
50 g de manteiga

- Misture o fubá e o queijo parmesão e coloque em uma tigela rasa. Coloque a farinha e o ovo em tigelas separadas.
- Mergulhe os bifes na farinha, depois no ovo e, por fim, cubra com o fubá. Leve à geladeira por 5 minutos.
- Coloque a pera, a cebola, a rúcula e as nozes em uma tigela e misture com 2 colheres (sopa) de azeite e o vinagre balsâmico.
- Aqueça o azeite restante e a manteiga em uma frigideira e frite os bifes de porco por 3-4 minutos de cada lado, até ficarem dourados e cozidos.
- Sirva sobre uma camada de salada temperada.

---

10 Bisteca de porco com polenta frita e tomate recheado Polvilhe 4 tomates grandes cortados ao meio com ½ colher (chá) de garam masala*, 1 dente de alho amassado e um pouco de sal e pimenta-do-reino moída na hora. Regue com 1 colher (sopa) de azeite e asse sob o grill do forno preaquecido por 4-5 minutos, até ficarem cozidos. Enquanto isso, aqueça 2 colheres (sopa) de azeite em uma frigideira grande e frite 350 g de polenta pronta em fatias grossas e 4 bistecas de porco de 50 g cada uma por 3-4 minutos de cada lado, até ficarem douradas e cozidas. No último minuto de cozimento, polvilhe com 1 colher (sopa) de folhas de manjericão picadas. Sirva as bistecas de porco com a polenta, e disponha ao lado os tomates temperados.

* Mistura de especiarias moídas comum na culinária da Índia. À venda em lojas especializadas e mercados municipais.

20 Bife de porco com pera Aqueça 2 colheres (sopa) de azeite em uma assadeira sobre a boca do fogão e cozinhe 2 cebolas roxas cortadas em pétalas, 2 peras sem o miolo e cortadas em quatro e alguns raminhos de alecrim. Junte 4 bifes de porco de 150 g cada um e frite por 2-3 minutos de cada lado, até ficarem cozidos. Esfarele 60 g de queijo gorgonzola por cima, leve a assadeira ao forno sob o grill preaquecido e deixe assar até o queijo começar a derreter. Sirva com legumes verdes cozidos no vapor.

30 Cordeiro com mel, mostarda e limão

4 porções

4 dentes de alho amassados
4 colheres (sopa) de mel
2 colheres (sopa) de mostarda com grãos
raspas e suco de 1 limão-siciliano
um punhadinho de alecrim picado
2 colheres (sopa) de azeite
4 bifes de cordeiro com cerca de 150 g cada um
300 g tagliatelle
1 cebola roxa fatiada
2 abobrinhas em rodelas

- Em uma tigela não metálica, misture o alho com o mel, a mostarda, as raspas e o suco de limão, o alecrim e 1 colher (sopa) de azeite. Coloque o cordeiro na marinada e deixe descansar por 10 minutos.
- Cozinhe o tagliatelle em uma panela de água fervente, seguindo as instruções da embalagem, até ficar *al dente*.
- Enquanto isso, asse os bifes de cordeiro sob o grill do forno quente preaquecido por 3-4 minutos de cada lado, ou até ficar cozido ao seu gosto.
- Aqueça o azeite restante em uma frigideira, refogue a cebola e a abobrinha por 3-4 minutos e regue com a marinada restante. Cozinhe por 1-2 minutos.
- Escorra o macarrão e junte à panela com a cebola e a abobrinha.
- Sirva os bifes de cordeiro com o tagliatelle.

---

10 Cordeiro com salada de aspargo

Em uma tigela, misture 3 colheres (sopa) de azeite extravirgem com 1 colher (sopa) de suco de limão-siciliano, ½ colher (chá) de mostarda com grão e ½ colher (chá) de mel. Misture 400 g de aspargo com ½ colher (sopa) de azeite e grelhe em uma chapa quente com grelha por 1-2 minutos. Coloque os aspargos sobre uma camada de agrião, rúcula e espinafre e cubra com 350 g de cordeiro pronto fatiado. Polvilhe com 200 g de queijo feta esfarelado, regue com o molho e sirva.

20 Kebab italiano de cordeiro

Em uma tigela grande, misture 250 g de carne de cordeiro moída com ½ colher (chá) de semente de erva-doce, 1 dente de alho amassado, ½ colher (sopa) de folhas de manjericão picado e sal e pimenta-do-reino moída na hora. Divida a mistura em oito bolas, enfie duas em cada um de quatro espetinhos de metal ou madeira e pincele com azeite. Grelhe em uma chapa, ou grill, preaquecida por 8-10 minutos, virando de vez em quando, até ficar todo cozido. Sirva com salada crocante e molho feito com 3 colheres (sopa) de azeite extravirgem, suco de ½ limão-siciliano, ½ colher (chá) de mostarda de Dijon e ½ colher (chá) de mel.

30 Frango à romana com pimentão

4 porções

3 colheres (sopa) de azeite
4 filés grossos de frango com cerca de 150 g cada um
1 cebola roxa fatiada
3 dentes de alho amassados
2 pimentões vermelhos fatiados
1 pimentão amarelo fatiado
1 pimentão verde fatiado
125 g de azeitona verde sem caroço
400 g de tomate-cereja em lata
300 ml de caldo de galinha
2 raminhos de orégano
2 colheres (sopa) de salsa picada
sal e pimenta-do-reino moída na hora

- Aqueça o azeite em uma caçarola e doure o frango. Retire e reserve.
- Adicione a cebola e o alho e refogue por 1-2 minutos. Junte os pimentões e cozinhe por mais 2-3 minutos, depois acrescente as azeitonas, o tomate-cereja, o caldo e o orégano.
- Volte o frango à panela, leve à fervura e cozinhe por 20-22 minutos, tampado, até o frango ficar cozido e macio.
- Acrescente a salsa picada, tempere com sal e pimenta e sirva.

10 Salada com frango e pimentão

Em uma saladeira, misture 2 pimentões vermelhos fatiados com 3 tomates picados, 2 abacates fatiados e um punhado de folhas de espinafre. Cubra com 3 filés grossos de frango já cozidos e fatiados, comprados prontos, e 4 fatias de pancetta grelhadas até ficar crocante. Regue com molho italiano para salada e sirva com pão crocante.

20 Panini de frango e pimentão

Corte 3 pimentões vermelhos ao meio, retire as sementes e leve para assar, com o lado do corte virado para baixo, sob o grill do forno preaquecido até a pele ficar tostada. Transfira para uma tigela e cubra com filme de PVC até esfriar o suficiente para retirar a pele. Rasgue em tiras e reserve. Enquanto isso, misture 4 colheres (sopa) de maionese com 1 colher (sopa) de pesto. Corte 2 pães ciabatta ao meio na horizontal e espalhe a maionese com pesto em cada face cortada. Coloque um punhadinho de folhas de espinafre e 200 g de muçarela fatiada na metade de baixo de cada pão. Cubra com 3 filés de frango cozidos e fatiados, comprados prontos, 4 tomates fatiados, o pimentão vermelho e algumas folhas de manjericão. Cubra com a outra metade do pão. Coloque os dois pães em uma chapa quente, pressionando com uma panela ou tampa pesada para achatar. Deixe por cerca de 3 minutos de cada lado, até o queijo começar a derreter. Corte ao meio e sirva quente.

20 Cordeiro grelhado com molho de aliche

4 porções

10-12 filés de aliche
suco de 1 limão-siciliano
2 colheres (chá) de alecrim picado
4 colheres (sopa) de azeite
8 costeletas de cordeiro com cerca de 150 g cada uma
400 g de brócolis
pimenta-do-reino moída na hora

- Coloque o aliche em um pilão e amasse até obter uma pasta. Adicione aos poucos o suco de limão, seguido do alecrim e do azeite, até formar um molho cremoso. Isso também pode ser feito em um processador ou um liquidificador.
- Tempere as costeletas de cordeiro com pimenta-do-reino e asse no forno preaquecido, de preferência sob o grill, por 2-4 minutos de cada lado, ou ao seu gosto.
- Cozinhe o brócolis no vapor por 3-4 minutos, até ficar macio.
- Regue as costeletas de cordeiro com o molho de aliche e sirva com o brócolis no vapor.

---

10 Espaguete com cordeiro, brócolis e aliche Cozinhe 350 g de espaguete em uma panela de água fervente, seguindo as instruções da embalagem, até ficar *al dente*. Junte 350 g de brócolis em buquês nos últimos 3 minutos de cozimento. Enquanto isso, aqueça 3 colheres (sopa) de azeite em uma frigideira e refogue 8 filés de aliche picados e 1 pimenta vermelha picadinha com 4 costeletas de cordeiro de 150 g cada uma por cerca de 3-4 minutos. Acrescente 100 g de farinha de rosca e cozinhe, mexendo, até dourar. Escorra o macarrão e o brócolis e volte à panela com metade da mistura de farinha de rosca; misture bem com 2 colheres (sopa) de azeite. Salpique com a farinha de rosca restante e sirva.

30 Salada caesar de cordeiro com aliche Para o molho, bata 1 dente de alho picadinho com 1 colher (chá) de mostarda de Dijon, ½ colher (chá) de molho inglês, 1 colher (sopa) de suco de limão-siciliano, 4 filés de aliche, 3 colheres (sopa) de maionese e 4 colheres (sopa) de iogurte natural. Misture 4 filés de lombo de cordeiro de 150 g cada um com 1 colher (sopa) de azeite, 2 colheres (chá) de folhas de tomilho, suco de ½ limão-siciliano, 1 dente de alho amassado e um pouco de pimenta-do-reino moída na hora. Grelhe em uma chapa com grelha preaquecida por 5-6 minutos. Aqueça 2 colheres (sopa) de azeite em uma frigideira e frite 100 g de pão ciabatta cortado em cubos até dourar. Rasgue as folhas de 2 pés de alface-romana e coloque em uma tigela ou travessa grande. Adicione o cordeiro grelhado, 6 filés de anchova e os croûtons. Regue com o molho e misture delicadamente. Sirva coberto com 3 colheres (sopa) de parmesão em lascas.

30 Almôndega com molho de tomate e espaguete

4 porções

500 g de carne moída
5 dentes de alho amassados
¼ de colher (chá) de orégano
1 colher (sopa) de salsa picada
2 colheres (sopa) de parmesão ralado
2 colheres (sopa) de azeite
1 cebola cortada em cubos
uma pitada de pimenta-calabresa
2 latas de 400 g de tomate pelado picado
100 ml de vinho tinto
1 colher (chá) de açúcar
2 colheres (sopa) de folhas de manjericão picadas
375 g de espaguete
parmesão em lascas, para servir

- Em uma tigela, misture a carne moída com 2 dentes de alho amassados, o orégano, a salsa picada e o parmesão ralado. Enrole em bolinhas do tamanho de uma noz.
- Aqueça 1 colher (sopa) de azeite em uma frigideira e frite as almôndegas por 10-12 minutos, virando-as com frequência.
- Em outra frigideira, aqueça o restante do azeite e refogue a cebola, o alho amassado restante e a pimenta-calabresa por 3-4 minutos, depois junte os tomates picados, o vinho tinto, o açúcar e o manjericão e cozinhe por 8-10 minutos.
- Cozinhe o espaguete em uma panela de água fervente, seguindo as instruções da embalagem, até ficar *al dente*.
- Transfira as almôndegas para o molho de tomate e cozinhe por mais 3-4 minutos, até ficarem aquecidas.
- Escorra o macarrão e sirva com as almôndegas por cima. Complete polvilhando com as lascas de parmesão.

---

10 Espaguete rápido à bolonhesa

Cozinhe 400 g de espaguete, seguindo as instruções da embalagem, até ficar *al dente*. Aqueça 1 colher (sopa) de azeite em uma frigideira e refogue 1 cebola roxa cortada em cubos e 1 pimenta vermelha picadinha por 30 segundos. Junte 300 g de carne moída e refogue em fogo alto por 2-3 minutos. Misture 400 ml de molho à bolonhesa pronto e cozinhe por 3-4 minutos. Escorra a massa e divida entre 4 tigelas. Cubra com o molho, 2 colheres (sopa) de folhas de manjericão picado e 2 colheres (sopa) de parmesão ralado.

20 Almôndega de frango

Aqueça 1 colher (sopa) de azeite em uma frigideira e refogue 400 g de peito de frango moído com 50 g de pinhole por 5-6 minutos. Retire do fogo e coloque em uma tigela com 1 colher (sopa) de folhas de manjericão, 100 g de pão amanhecido ralado, 50 g de parmesão ralado, 2 ovos batidos e as raspas e o suco de 1 limão-siciliano. Use as mãos para misturar bem e depois divida em bolotas do tamanho de uma noz. Aqueça mais 1 colher (sopa) de azeite em uma frigideira e frite as almôndegas até ficarem completamente cozidas e douradas. Sirva com 500 g de molho de tomate pronto aquecido, polvilhado com salsa picada.

30 Escalope de vitela com creme

4 porções

10 g de cogumelo porcini seco
4 escalopes de vitela com cerca de 150 g cada um
2 colheres (sopa) de farinha de trigo
50 g de manteiga
1 colher (sopa) de azeite
2 dentes de alho picados
1 cebola picada
100 g de cogumelo portobello fatiado
100 ml de vinho branco
200 ml de creme de leite
um punhado grande de espinafre
sal e pimenta-do-reino moída na hora
purê de batata, para servir

- Mergulhe o cogumelo porcini em água fervente, o suficiente para cobrir, durante 10 minutos. Escorra, reserve o líquido e pique o porcini grosseiramente.
- Polvilhe os escalopes de vitela com a farinha. Aqueça a manteiga e o azeite em uma frigideira e frite os escalopes por 2-3 minutos de cada lado, até ficarem cozidos. Retire da frigideira e mantenha aquecido.
- Adicione o alho, a cebola e os cogumelos à frigideira e refogue por 4-5 minutos, até a cebola ficar macia.
- Despeje o vinho e deixe borbulhar por 2-3 minutos, em seguida despeje o creme de leite e 2-3 colheres (sopa) do líquido reservado do porcini.
- Leve à fervura, junte o porcini e o espinafre e um pouco de sal e pimenta-do-reino. Volte os escalopes à frigideira e cozinhe por 1 minuto. Sirva com purê de batata.

---

10 Salada de vitela

Aqueça 1 colher (sopa) de azeite em uma frigideira e frite um bife de vitela de 300 g por 1-2 minutos de cada lado, ou até ficar ao seu gosto. Deixe descansar por 1-2 minutos. Corte em fatias finas no sentido contrário das fibras. Em uma saladeira grande, misture a carne de vitela com 2 tomates-coração-de-boi picados, 50 g de folhas de salada mista, 20 g de rúcula, 2 colheres (sopa) de nozes picadas e 75 g de pimentão assado em conserva fatiado. Regue com 2-3 colheres (sopa) de molho italiano para salada e sirva com 3 colheres (sopa) de parmesão em lascas.

20 Macarrão com cogumelo porcini e vitela

Cozinhe 350 g de macarrão pappardelle em uma panela de água fervente, seguindo as instruções da embalagem, até ficar *al dente*. Enquanto isso, aqueça 2 colheres (sopa) de azeite em uma frigideira grande e refogue 2 echalotas em cubos e 1 dente de alho amassado. Junte 275 g de cogumelo porcini fresco e 300 g de vitela em fatias finas e frite rapidamente em fogo alto. Tempere, junte 150 ml de creme de leite e leve à fervura. Escorra o macarrão e misture com o molho de vitela e porcini. Sirva polvilhado com 2 colheres (sopa) de salsa picada e 2 colheres (sopa) de parmesão ralado.

10 Sanduíche de frango com bacon

4 porções

4 fatias finas de bacon
8 fatias de pão integral
2 colheres (chá) de mostarda com grão
4 folhas de alface-americana
4 tomates em rodelas
2 peitos de frango cozidos e fatiados, comprados prontos
1 abacate fatiado

- Frite as fatias de bacon em uma frigideira seca até ficarem crocantes e reserve.
- Enquanto isso, toste o pão integral dos dois lados e espalhe a mostarda em 4 fatias.
- Coloque 1 folha de alface sobre cada uma das fatias e cubra com o tomate. Divida o frango entre as fatias.
- Cubra com o bacon e o abacate.
- Finalize com as fatias de pão restantes e, usando palitos para manter os sanduíches inteiros, corte na diagonal, para servir.

---

20 Salada morna de frango Corte 4 filés de frango de 150 g cada um e uma baguete pequena em pedaços e coloque tudo em uma assadeira. Polvilhe com 2 colheres (sopa) de azeite e 2 dentes de alho amassados. Misture e deixe assar em forno preaquecido a 200 °C por 15 minutos, até o pão ficar crocante e o frango, cozido. Enquanto isso, misture 3 colheres (sopa) de azeite extravirgem com 1 colher (sopa) de vinagre balsâmico. Em uma tigela grande, misture 175 g de espinafre com 200 g de tomate--cereja cortado ao meio e 200 g de queijo de cabra esfarelado. Arrume o frango assado com pão em uma travessa e misture com a salada de espinafre. Regue com o molho para servir.

---

30 Peito de frango recheado com fontina e manjericão Faça um corte na lateral de 4 peitos de frango sem pele de 150 g cada um, formando um bolso. Recheie cada um com 175 g de queijo fontina fatiado e um punhado de folhas de manjericão. Enrole cada peito de frango com 2 fatias de presunto cru. Coloque em uma assadeira e deixe assar em forno preaquecido a 200 °C por 20 minutos, até ficar cozido. Enquanto isso, aqueça 2 colheres (sopa) de azeite em uma frigideira e junte 250 g de espinafre e 200 g de tomate--cereja. Cozinhe um pouco até o espinafre começar a murchar. Sirva os peitos de frango sobre uma camada de espinafre com tomate.

30 Escalope de porco com peperonata

4 porções

2 colheres (sopa) de azeite
1 cebola em cubos pequenos
2 dentes de alho amassados
2 pimentões vermelhos em fatias finas
1 pimentão amarelo em fatias finas
2 colheres (sopa) de vinho branco
400 g de tomate pelado em lata picado
4 escalopes de porco com cerca de 150 g cada um
1 colher (sopa) de orégano
brócolis, para servir

- Aqueça 1 colher (sopa) de azeite em uma frigideira e refogue a cebola por 3-4 minutos. Adicione o alho e cozinhe por mais 1 minuto.
- Junte os pimentões e o vinho, deixe ferver, tampe e cozinhe por 10 minutos.
- Despeje o tomate picado e cozinhe, sem tampar, por mais 10-15 minutos, até os pimentões ficarem macios.
- Enquanto isso, misture os escalopes de porco com o azeite restante e o orégano e grelhe em uma chapa, grill ou churrasqueira, preaquecidos, por 3-4 minutos de cada lado.
- Sirva os escalopes sobre uma camada de peperonata com brócolis cozido no vapor.

---

10 **Bisteca de porco com brócolis** Cozinhe 650 g de brócolis em uma panela de água fervente por 4-5 minutos. Escorra. Polvilhe 4 escalopes de porco com farinha temperada com sal e pimenta-do--reino moída na hora. Aqueça 50 g de manteiga e 1 colher (sopa) de azeite em uma frigideira e frite os escalopes com 2 colheres (chá) de folhas de sálvia picadas por 4-5 minutos, até ficarem cozidos. Aqueça 2 colheres (sopa) de azeite em uma frigideira, junte o brócolis e cozinhe por 1 minuto. Acrescente 2 dentes de alho picados, ¼ de colher (chá) de pimenta-calabresa, suco de ½ limão-siciliano e um pouco de pimenta-do-reino e cozinhe por mais 1 minuto. Sirva com a carne de porco.

---

20 **Sopa de brócolis e pancetta**
Aqueça 2 colheres (sopa) de azeite e refogue 200 g de pancetta em cubos por 1-2 minutos. Retire metade da panela e reserve. Adicione 1 cebola picada e refogue por 2-3 minutos. Junte 2 batatas em cubos, 500 g de brócolis e 900 ml de caldo de legumes. Deixe ferver e cozinhe por 8-10 minutos, até a batata ficar macia. Acrescente 200 g de gorgonzola. Usando um processador ou liquidificador, bata a sopa até ficar homogênea. Junte 150 ml de leite, tempere com sal e pimenta-do-reino moída na hora e aqueça suavemente antes de servir. Sirva salpicado com a pancetta restante.

20 Cordeiro com erva-doce e marsala

4 porções

3 colheres (sopa) de azeite
2 bulbos de erva-doce em fatias finas
2 colheres (chá) de folhas de tomilho
50 ml de vinho marsala
100 ml de creme de leite
300 g de ervilha descongelada
1 dente de alho picado
8 costeletas de cordeiro com cerca de 150 g cada uma

- Aqueça 2 colheres (sopa) de azeite em uma frigideira e refogue a erva-doce com o tomilho por 1-2 minutos, até ficar macio.
- Junte o marsala, o creme de leite e as ervilhas e cozinhe por 4-5 minutos.
- Aqueça o azeite restante em outra panela e frite o alho e as costeletas de cordeiro por 3-4 minutos de cada lado, até dourarem.
- Transfira as costeletas para a panela com os legumes e cozinhe por mais 3-4 minutos, ou até ficar cozido ao seu gosto.

---

10 Costeleta de cordeiro com alecrim e erva-doce Cozinhe no vapor 4 bulbos de erva-doce fatiados por 5-6 minutos, até ficar macio. Enquanto isso, esfregue em 8 costeletas de cordeiro uma mistura feita de 1 colher (sopa) de azeite, 2 colheres (sopa) de alecrim picado, 2 dentes de alho amassados e raspas de ½ limão-siciliano. Grelhe ou frite as costeletas, como preferir. Retire a erva-doce do vapor e coloque em um refratário, polvilhe com o suco de ½ limão-siciliano, 3 colheres (sopa) de pão ralado e 3 colheres (sopa) de parmesão ralado. Asse sob o grill do forno preaquecido por 2-3 minutos, até dourar. Sirva com o cordeiro.

---

30 Carré de cordeiro com crosta de pesto Em uma tigela, misture 2 colheres (sopa) de pesto pronto com 4 colheres (sopa) de farinha de rosca. Faça cortes na gordura de 2 carrés de cordeiro de 450 g cada um e espalhe a mistura de farinha de rosca sobre a gordura, apertando bem. Asse em forno preaquecido a 220 °C por 14-16 minutos ou mais, se quiser o cordeiro bem-passado. Enquanto isso, fatie 3 bulbos de erva-doce e misture com 2 colheres de azeite e suco de ½ limão-siciliano. Tempere com pimenta-do-reino moída na hora e deixe grelhar em uma chapa quente até caramelizar. Sirva os carrés com a erva-doce grelhada e salada de agrião.

30 Feijoada de feijão borlotti com linguiça

4 porções

2 colheres (sopa) de azeite
4 linguiças toscanas fatiadas
1 cebola grande picada
2 dentes de alho picados
1 colher (chá) de semente de erva-doce
2 latas de 400 g de tomate-cereja
500 ml de caldo de carne
2 latas de 400 g de feijão borlotti ou rajado lavado e escorrido
200 g de vagem cortada ao meio
1 colher (sopa) de folhas de manjericão picadas
2 colheres (sopa) de parmesão ralado, para servir (opcional)

- Aqueça o azeite em uma frigideira e doure os pedaços de linguiça por 3-4 minutos.
- Retire a linguiça e adicione a cebola, o alho e as sementes de erva-doce. Cozinhe por 3-4 minutos, depois acrescente o tomate-cereja e o caldo.
- Deixe ferver, volte a linguiça à panela e junte o feijão.
- Cozinhe por 10 minutos e adicione a vagem cortada ao meio e o manjericão. Deixe por mais 5-6 minutos, até a linguiça ficar cozida e os grãos, macios.
- Sirva polvilhado com parmesão ralado, se quiser.

---

10 Salada de linguiça com molho de feijão Em uma saladeira, misture 50 g de folhas de alface-romana rasgadas com 125 g de pimentão vermelho assado em conserva, escorrido e fatiado, 2 colheres (sopa) de azeitona preta sem caroço, 3 tomates fatiados e 200 g de linguiça toscana cozida em fatias grossas. Em um processador ou liquidificador, bata 400 g de feijão borlotti ou rajado em lata lavado e escorrido, 2 dentes de alho amassados, suco de ½ limão-siciliano, 2 colheres (sopa) de tahine e 4-5 colheres (sopa) de azeite extravirgem até ficar liso. Regue a salada com o molho, 1 colher (sopa) de azeite extravirgem e 1 colher (sopa) de pinhole torrado.

---

20 Salada morna de feijão e linguiça

Asse 4 linguiças toscanas fatiadas na diagonal sob o grill do forno preaquecido ou em churrasqueira quente por 3-4 minutos, até ficarem ao ponto. Cozinhe 350 g de vagem até ficar macia, depois passe pela água fria e escorra. Em uma tigela grande, misture a linguiça com a vagem, uma lata de 400 g de feijão borlotti ou rajado lavado e escorrido, 4 tomates fatiados e 8-10 folhas de manjericão. Em uma outra tigela, bata 3 colheres (sopa) de azeite com 1 colher (sopa) de vinagre de xerez, 1 dente de alho esmagado, ½ colher (chá) de mostarda com grão e ½ colher (chá) de mel. Regue a salada e sirva com pão crocante.

10 Salada de peito de pato defumado

4 porções

2 laranjas
2 colheres (sopa) de azeite extravirgem
½ colher (chá) de mostarda de Dijon
75 g de agrião
um punhado de semente de romã
250 g de peito de pato defumado fatiado, comprado pronto

- Descasque e corte as laranjas em gomos sobre uma tigela para aproveitar o suco.
- Bata o suco da laranja com o azeite e a mostarda de Dijon.
- Em uma tigela, misture o agrião com as sementes de romã e os gomos de laranja e divida entre quatro tigelas rasas.
- Cubra com o peito de pato defumado e regue com o molho, para servir.

20 Tagliatelle com pato e cogumelo

Aqueça 2 colheres (sopa) de azeite em uma frigideira e refogue 1 cebola roxa picada e 2 dentes de alho amassados por 1-2 minutos. Adicione 75 g de cogumelo portobello fatiado e cozinhe por mais 4-5 minutos. Junte 100 ml de vinho branco, 2 colheres (chá) de extrato de tomate, 300 g de peito de pato defumado fatiado e 4 colheres (sopa) de creme de leite fresco e cozinhe por 5-6 minutos. Enquanto isso, cozinhe 350 g de tagliatelle em uma panela de água fervente, seguindo as instruções da embalagem, até ficar *al dente*. Escorra e misture com o molho de pato defumado. Sirva polvilhado com 1 colher (sopa) de tomilho.

30 Pato com brócolis e azeitona

Com uma faca afiada, faça cortes cruzados na pele de 4 peitos de pato com 175 g cada um. Tempere a pele com sal e pimenta-do-reino moída na hora. Aqueça uma frigideira refratária e coloque os peitos de pato com o lado da pele virado para baixo. Cozinhe por 7-8 minutos, até a gordura escorrer e a pele dourar. Vire os peitos e doure do outro lado. Retire 1-2 colheres (sopa) da gordura do pato e transfira para outra frigideira. Leve a frigideira refratária com o pato ao forno preaquecido a 200 °C e asse por 8-10 minutos, dependendo do ponto que você preferir a carne. Enquanto isso, cozinhe no vapor 1 maço generoso de brócolis cortado em buquês por 3-4 minutos. Aqueça a gordura de pato na frigideira, refogue 2 echalotas em cubos e 1 pimenta vermelha picada por 3-4 minutos e adicione o brócolis cozido no vapor, misturando para incorporar o molho picante. Junte 100 g de azeitona preta picada sem caroço. Retire os peitos de pato do forno e deixe descansar por 5 minutos antes de servir com o brócolis.

Sobremesas

Listas de receitas por tempo de preparo

30

20

10

20 Beijinho de coco

4 porções

50 g de manteiga sem sal derretida, mais um pouco para untar
200 g de coco ralado
50 g de açúcar refinado
1 ovo batido

- Unte uma assadeira. Em uma tigela, junte o coco, o açúcar e a manteiga derretida e mexa. Junte o ovo e misture bem.
- Com as mãos, pegue pedaços da massa do tamanho de uma noz e molde-os em pirâmides pequenas. Disponha sobre uma assadeira preparada e leve ao forno, preaquecido a 150 °C, por 15 minutos, até dourar.
- Deixe esfriar sobre uma grade.

10 Granola com coco

Em uma tigela, misture ½ colher (sopa) de azeite, 1 colher (sopa) de mel, 1 colher (sopa) de maple syrup, 100 g de aveia, 25 g de semente de girassol, 2 colheres (sopa) de gergelim e 25 g de amêndoa em lâminas. Espalhe sobre uma assadeira e asse em forno preaquecido, se possível sob o grill, por 6-7 minutos, mexendo com frequência, até dourar. Despeje em uma tigela grande e junte 50 g de cranberry seco* e 25 g de coco ralado. Sirva com frutas frescas e iogurte. * À venda em empórios e mercados municipais.

30 Cantuccini de coco

Em uma tigela, misture 110 g de açúcar refinado, 110 g de farinha de trigo, 1 colher (chá) de fermento químico em pó, raspas de 1 laranja, 50 g de amêndoa, 15 g de coco ralado e 1 ovo para formar uma massa dura. Vire sobre uma superfície enfarinhada e transforme em um rolinho da espessura de uma linguiça, com cerca de 28 cm de comprimento. Coloque em uma assadeira e leve ao forno preaquecido a 220 °C por 15 minutos. Retire, deixe esfriar por 2-3 minutos e fatie delicadamente, formando os biscoitos. Faça uma camada plana de cantuccini na assadeira e asse por mais 2-3 minutos, até ficar crocante. Deixe esfriar sobre uma grade.

30 Crepe de pera e mascarpone

4 porções

125 g de farinha de trigo peneirada
2 ovos
300 ml de leite
25 g de manteiga derretida, mais um pouco para untar
500 g de mascarpone
2 colheres (sopa) de licor amaretto
3 peras maduras, descascadas e cortadas em cubos
4 colheres (sopa) de mel

- Para fazer a massa, coloque a farinha em uma tigela grande e faça uma cova no meio. Despeje os ovos no centro e comece a bater, incorporando a farinha. Aos poucos, adicione o leite, mexendo sempre, até obter uma massa com a consistência de creme de leite. Junte a manteiga derretida.
- Unte uma frigideira com um pouco de manteiga derretida, usando papel-toalha para retirar o excesso.
- Despeje uma pequena quantidade de massa, virando a frigideira em círculos para revestir toda a base. Cozinhe por 1-2 minutos e vire a panqueca do outro lado para cozinhar por cerca de mais 1 minuto. Repita com a massa restante para fazer 8 panquecas. Empilhe as panquecas entre folhas de papel-manteiga envoltas em um papel-alumínio para mantê-las aquecidas.
- Enquanto isso, bata o mascarpone com o amaretto em uma tigela e misture de leve as peras em cubos e 2 colheres (sopa) de mel para dar um efeito marmorizado.
- Divida a mistura entre as panquecas, dobre cada uma em quatro e coloque em um refratário. Regue com o mel restante e aqueça sob o grill do forno preaquecido por 1-2 minutos antes de servir.

---

10 Crostini de pera, queijo azul e mel

Corte 1 baguete fina em 8 fatias e toste-as de um lado. Corte 1 pera em fatias finas e coloque sobre o lado não tostado das fatias. Cubra com 100 g de gorgonzola doce esfarelado e regue cada torrada com ¼ de colher (chá) de mel. Doure sob o grill do forno por 1-2 minutos, até o queijo derreter.

20 Pera escaldada no suco de laranja

Em uma panela grande, misture 500 ml de suco de laranja fresco com 75 g de açúcar, raspas de 1 laranja, 3 cravos e 1 pau de canela. Adicione 4 peras descascadas e cortadas em quatro, deixe ferver, tampe e cozinhe por cerca de 15 minutos, até as peras ficarem macias. Retire as peras e ferva o líquido para reduzir um pouco. Enquanto isso, misture em uma tigela 4 colheres (sopa) de queijo mascarpone com 2 colheres (sopa) de açúcar de confeiteiro e as raspas de 1 laranja. Sirva as peras com uma colherada de mascarpone, regadas com um pouco de calda e polvilhadas com 2 colheres (sopa) de amêndoas em lâminas.

20 Pêssego assado no amaretto

4 porções

4 pêssegos cortados ao meio sem caroço
8 biscoitos de amaretto
1 colher (sopa) de mel
25 g de manteiga sem sal em cubos

Creme de mascarpone

4 colheres (sopa) de mascarpone
2 colheres (sopa) de açúcar de confeiteiro peneirado
2 colheres (sopa) de licor amaretto
2 colheres (sopa) de amêndoa torrada em lâminas, para servir

- Disponha as metades dos pêssegos em um refratário com o lado do corte virado para cima. Quebre os biscoitos de amaretto e distribua-os no centro de cada pêssego. Regue com o mel.
- Distribua a manteiga sobre cada metade de pêssego e asse em forno preaquecido a 200 °C por 15-18 minutos, até ficar macio.
- Enquanto isso, em uma tigela pequena, bata o mascarpone com o açúcar de confeiteiro e o licor de amaretto.
- Sirva os pêssegos com uma colherada de mascarpone, polvilhado com amêndoas em lâminas.

---

10 Salada de frutas com pêssego
Em uma tigela de servir, misture 3 pêssegos picados com 325 g de morango limpo e fatiado, 150 g de uva verde sem caroço cortada ao meio e 200 g de framboesa. Em uma tigelinha, bata o suco de 1 limão com 3 colheres (sopa) de suco de abacaxi, ½ colher (chá) de gengibre em pó e 2 colheres (sopa) de folhas de hortelã rasgadas. Despeje sobre as frutas e misture tudo delicadamente. Sirva com uma colherada de creme de leite fresco.

---

30 Tortinha de pêssego e amêndoa Abra 300 g de massa folhada refrigerada comprada pronta sobre uma superfície levemente enfarinhada e corte em quatro retângulos de 10 cm x 12 cm. Coloque-os em uma assadeira. Com uma faca, desenhe uma linha em torno da massa, deixando uma borda de cerca de 1 cm. Fure o meio com um garfo e pincele com ovo batido. Asse em forno preaquecido a 200 °C por 10 minutos. Pique 175 g de marzipã e divida entre os retângulos. Fatie 3 pêssegos e disponha em leque por cima das massas e finalize polvilhando com 2 colheres (sopa) de amêndoa em lâminas. Volte ao forno por mais 10 minutos, até dourar. Enquanto isso, misture em uma tigela 2 colheres (sopa) de mascarpone com 2 colheres (sopa) de açúcar de confeiteiro e 1 colher (sopa) de licor amaretto e sirva com as tortinhas.

10 Ricota doce com framboesa

4 porções
450 g de ricota
raspas de 2 laranjas
3 colheres (sopa) de mel
350 g de framboesa

- Em uma tigela, misture a ricota com as raspas de laranja e 2 colheres (sopa) de mel.
- Junte as framboesas delicadamente.
- Divida a mistura entre quatro copos ou tigelinhas.
- Regue com o mel restante e sirva imediatamente.

20 Musse de ricota doce

Coloque 360 g de ricota, 180 g de queijo mascarpone e 30 g de açúcar refinado em um processador ou liquidificador e bata até ficar homogêneo. Junte as raspas de 2 laranjas e as sementes raspadas de 1 fava de baunilha. Bata 450 ml de creme de leite com 2 colheres (sopa) de licor amaretto até ficar firme e misture delicadamente à ricota. Divida entre quatro taças e leve à geladeira por 10 minutos. Sirva com framboesas frescas e raminhos de hortelã.

30 Ricota doce assada

Em uma tigela, misture 400 g de ricota com as raspas de 2 laranjas, 75 g de açúcar refinado, 125 g de amêndoa moída, 125 g de casca de laranja cristalizada e 4 ovos batidos. Divida entre 4 ramequins e asse em forno preaquecido a 190 °C por 20-22 minutos, até crescer e dourar. Enquanto isso, coloque 350 g de framboesa em uma panelinha com as raspas e o suco de 1 laranja e 2 colheres (sopa) de açúcar refinado. Aqueça suavemente durante 2-3 minutos. Sirva a fruta quente com a ricota assada.

10 Salada de laranja e morango

4 porções

60 g de açúcar refinado
100 ml de água
1 colher (sopa) de folhas de manjericão em fatias bem finas
150 g de morango limpo e cortado ao meio
4 laranjas

- Coloque o açúcar e a água em uma panela e deixe ferver. Cozinhe por 2-3 minutos e deixe esfriar um pouco, para então adicionar o manjericão.
- Coloque o morango em uma tigela. Descasque e corte 4 laranjas em gomos sobre essa tigela para aproveitar o suco. Junte os gomos de laranja aos morangos.
- Despeje a calda por cima e sirva.

20 Laranja ao vinho marsala

Descasque 4 laranjas e corte em fatias finas. Coloque em uma tigela rasa e regue com 3 colheres (sopa) de marsala (ou amaretto, se preferir). Deixe marinar por 10 minutos. Ponha 40 g de açúcar refinado e um punhadinho de folhas de hortelã picadas em um pilão e esmague tudo junto. Polvilhe as laranjas com a mistura de açúcar com hortelã e 6 biscoitos de amaretto esmagados e divida entre quatro pratos. Sirva cada prato com 1 colher (sopa) de queijo mascarpone.

30 Laranja caramelizada

Descasque 4 laranjas e corte em fatias finas. Coloque em um prato raso e regue com 1 colher (sopa) de licor de laranja. Em uma panela, junte 115 g de açúcar cristal, 1 canela em pau e 150 ml de água. Aqueça, mexendo sem parar, até o açúcar dissolver. Continue a ferver até o açúcar começar a caramelizar e ficar dourado. Despeje a calda sobre as laranjas. Decore com 25 g de pinhole torrado e 1 colher (sopa) de folhas de hortelã picadas.

30 Tiramisù

4 porções

50 g de açúcar refinado
2 gemas
150 ml de café forte
2 colheres (sopa) de licor de café
225 ml de creme de leite fresco
250 g de mascarpone
225 g de biscoito champanhe
1 colher (chá) de cacau em pó

- Coloque o açúcar e as gemas em uma tigela e leve ao banho-maria, batendo com um *fouet* por 4-5 minutos, até formar um creme. Deixe esfriar um pouco.
- Despeje o café em uma tigelinha rasa e junte o licor.
- Bata o creme de leite até obter picos moles.
- Junte o mascarpone à mistura de gema já fria e adicione delicadamente o creme de leite batido.
- Mergulhe metade dos biscoitos no café com licor e disponha-os em uma travessa rasa. Espalhe metade da mistura de creme por cima.
- Repita o procedimento com os biscoitos e a mistura de creme restantes. Peneire o cacau em pó por cima, para finalizar.
- Leve à geladeira por 10 minutos antes de servir.

10 Tiramisù individual super-rápido

Mergulhe 12 biscoitos champanhe em 100 ml de café forte e divida-os entre quatro copos ou tacinhas. Misture 250 g de mascarpone com 2 colheres (sopa) de licor de café e regue os biscoitos. Peneire ½ colher (chá) de cacau em pó por cima e sirva.

20 Fondue de tiramisù

Em uma tigela, coloque 400 g de mascarpone, 2 colheres (sopa) de café forte, 1 colher (sopa) de licor amaretto, 2 colheres (chá) de maisena e 75 g de açúcar de confeiteiro. Leve ao banho-maria e mexa suavemente enquanto a mistura aquece, formando aos poucos um creme macio e espesso. Quando o creme estiver quente, bata 2 ovos em outra tigela e despeje a mistura de mascarpone por cima, mexendo sem parar. Volte a tigela ao banho-maria e cozinhe até o fondue ficar cremoso e grosso o suficiente. Sirva com frutas picadas ou cantuccini, para mergulhar.

20 Zabaione

4 porções

1 fava de baunilha dividida ao meio no sentido do comprimento
8 gemas
2 colheres (sopa) de açúcar refinado
4 colheres (sopa) de vinho marsala
biscoitos leves e finos, para servir

- Raspe as sementes da fava de baunilha dividida e coloque em uma tigela com as gemas, o açúcar e o marsala. Misture tudo com um *fouet*.
- Leve a tigela ao banho-maria, com o fogo muito baixo, e continue batendo por 8-10 minutos, até a mistura ficar bem leve e airada e mantiver a forma.
- Divida em quatro copos e sirva com biscoitos leves e finos.

10 Affogato de marsala

Misture 4 cafés espresso com 2 colheres (sopa) de marsala. Divida 8 bolas de sorvete entre quatro tacinhas e despeje a mistura de café ainda quente. Sirva polvilhado com chocolate amargo picado.

30 Ameixa e panetone com zabaione

Corte ao meio e retire o caroço de 350 g de ameixa e coloque em uma panelinha com o suco e as raspas de 2 laranjas, 65 g de açúcar refinado e 1 canela em pau. Deixe ferver suavemente durante 15 minutos, até ficar macia. Enquanto isso, prepare o zabaione como indicado acima. Toste 4 fatias de panetone dos dois lados e coloque cada uma em um prato. Cubra com as ameixas cozidas e colheradas do zabaione. Sirva imediatamente.

30 Figo ao mel

4 porções
12 figos
20 g de manteiga sem sal
4 colheres (sopa) de mel
¼ de colher (chá) de canela em pó

Para servir (opcional)
4 colheres (sopa) de mascarpone
50 g de amêndoa torrada em lâminas

- Faça um corte em cruz em cada figo, sem chegar até a outra extremidade. Disponha em um refratário.
- Derreta a manteiga com o mel e a canela em uma panelinha e regue os figos.
- Asse em forno preaquecido a 200 °C por 20 minutos.
- Sirva os figos com uma colherada de mascarpone e polvilhados com amêndoa em lâminas, se quiser.

10 Figo com mel e queijo

Corte um pão ciabatta em quatro, primeiro ao meio na vertical e depois novamente na horizontal. Toste levemente o pão dos dois lados. Divida 200 g de gorgonzola entre as quatro fatias. Cubra cada uma com 1 figo fatiado e regue com 1 colher (sopa) de mel.

20 Scone de figo

Misture 500 g de farinha de trigo, 85 g de açúcar refinado e 30 g de fermento em pó em uma tigela. Adicione 85 g de manteiga sem sal e mexa com as mãos até a mistura ficar com consistência de farofa. Junte delicadamente 2 ovos batidos, 200 ml de leite e 100 g de figo seco picado até obter uma massa macia. Sobre uma superfície levemente enfarinhada, abra a massa com um rolo ou aperte até uma espessura de cerca de 4 cm. Corte 6-8 scones usando um cortador de biscoito de 4-5 cm ou um copo e coloque em uma assadeira. Asse em forno preaquecido a 200 °C por 15 minutos, até crescer e dourar. Deixe esfriar sobre uma grade.

30 Strudel de pera

4-6 porções

3 peras descascadas cortadas em cubos
75 g de uva-passa
75 g de cranberry congelada
125 g de açúcar
raspas de 1 laranja
8 folhas de massa folhada, comprada pronta
50 g de manteiga sem sal derretida
3 colheres (sopa) de amêndoa moída
iogurte natural, para servir

- Junte a pera, a uva-passa e o cranberry em uma panelinha com o açúcar e as raspas de laranja e deixe cozinhar em fogo baixo por 2-3 minutos, até a pera começar a amolecer.
- Coloque uma folha de massa folhada sobre a superfície de trabalho e pincele com manteiga derretida. Coloque outra folha por cima e pincele com mais manteiga. Repita o procedimento com as folhas restantes.
- Salpique as folhas de massa untadas com a farinha de amêndoas.
- Com uma colher, transfira a mistura de pera e passas para o meio da massa e enrole como um rocambole, dobrando as extremidades para conter as frutas.
- Ponha em uma assadeira e pincele com a manteiga derretida restante.
- Asse em forno preaquecido a 190 °C por 20-25 minutos, até dourar.
- Corte em fatias e sirva com iogurte.

---

10 Pera ao vinho com amora

Fatie finamente 4 peras e escalde em 400 ml de vinho tinto doce por 8 minutos. No final do cozimento, junte com cuidado 3 colheres (sopa) de amora-preta. Sirva com sorvete de baunilha.

20 Pera recheada com ricota

Em uma tigela, bata 125 g de ricota com 1 colher (sopa) de açúcar de confeiteiro e 1 colher (sopa) de cacau em pó. Junte 50 g de chocolate meio amargo picado e as raspas de 1 laranja. Descasque 2 peras maduras, corte ao meio no sentido do comprimento e retire o miolo. Pincele as peras com 2 colheres (sopa) de suco de laranja e cubra com uma colherada do recheio de ricota. Sirva polvilhado com folhas de hortelã.

10 Melancia e abacaxi com sambuca

4 porções
½ melancia pequena
1 abacaxi pequeno
4 doses de licor sambuca
2 colheres (sopa) de amêndoa torrada em lâminas
4 bolas de sorvete de baunilha, para servir

- Descasque a melancia e o abacaxi e corte em fatias com 1 cm de espessura.
- Empilhe as fatias uma sobre a outra em quatro pratos de servir, alternando as frutas.
- Regue com uma dose de licor sambuca cada um, salpique com a amêndoa e sirva com 1 bola de sorvete de baunilha.

---

20 Melancia com abacaxi e pêssego

Derreta 20 g de manteiga em uma frigideira pequena e toste 2 colheres (sopa) de amêndoa em lâminas até dourar. Deixe esfriar. Fatie fino 4 pêssegos e misture em uma tigela com ½ melancia pequena descascada e cortada em cubos e ½ abacaxi pequeno descascado e picado. Bata em outra tigela 2 colheres (sopa) de mel com ¼ de colher (chá) de canela em pó e 5 colheres (sopa) de iogurte natural. Divida as frutas entre quatro tigelas e regue com o molho de iogurte. Polvilhe com a amêndoa torrada, para servir.

30 Abacaxi frito

Peneire 200 g de farinha de trigo em uma tigela e junte 125 ml de água quente, 100 ml de cerveja, ½ colher (sopa) de óleo vegetal e ½ colher (sopa) de marsala para fazer uma massa. Corte 1 abacaxi grande, descascado e sem o miolo, em fatias grossas. Despeje óleo de girassol em uma fritadeira ou panela e aqueça até 180-190 °C, ou até que um cubo de pão mergulhado no óleo doure em 30 segundos. Junte 2 claras de ovo batidas à massa e mergulhe as fatias de abacaxi, sacudindo o excesso. Em lotes, se necessário, solte o abacaxi com cuidado no óleo quente. Frite por 3-4 minutos, até ficarem dourados por inteiro. Retire com uma escumadeira e escorra em papel-toalha. Sirva com folhas de hortelã rasgadas e polvilhado com açúcar refinado.

20 Biscoito de amaretto

8 porções

2 claras grandes
175 g de amêndoa moída
175 g de açúcar
3 colheres (chá) de licor amaretto

- Forre uma assadeira com papel-manteiga. Na batedeira, bata as claras em uma tigela limpa e desengordurada até formar picos moles.
- Misture delicadamente a amêndoa moída, o açúcar e o licor.
- Às colheradas (chá), faça montinhos de pelo menos 2,5 cm de distância um do outro na assadeira preparada.
- Asse no forno preaquecido a 160 °C durante 15 minutos, até dourar.
- Deixe esfriar sobre uma grade.

---

10 Framboesa com farofa de amêndoa Coloque 400 g de framboesa em um refratário. Misture 40 g de manteiga derretida com 20 g de açúcar refinado e 125 g de amêndoa moída em uma tigela. Espalhe grosseiramente a mistura de amêndoa sobre as frutas e asse sob o grill do forno preaquecido, em calor médio, por 5-6 minutos, até dourar. Sirva com creme de leite.

---

30 Biscoito de amêndoa Bata 100 g de manteiga amolecida sem sal com 50 g de açúcar refinado até formar um creme leve e fofo. Junte 100 g de farinha com fermento, 25 g de amêndoa moída e algumas gotas de licor amaretto. Disponha 8-10 bolotas da mistura, do tamanho de uma noz, a pelo menos 2,5 cm de distância uma da outra em uma assadeira untada. Aperte cada uma levemente com um garfo e asse em forno preaquecido a 180 °C por 15 minutos, até dourar. Deixe esfriar sobre uma grade.

30 Pizza doce com frutas vermelhas

4 porções

500 g de farinha de trigo especial para pães, mais um pouco para polvilhar
4 colheres (sopa) de açúcar refinado
7 g de fermento biológico seco instantâneo
uma pitada de sal
1 colher (sopa) de azeite
300 ml de água morna
300 g de cream cheese
3 gemas grandes
2-3 gotas de essência de baunilha
400 g de frutas vermelhas frescas
175 g de açúcar mascavo
25 g de farinha de trigo tradicional
50 g de manteiga sem sal derretida

- Para a massa, coloque a farinha de trigo, 2 colheres (sopa) de açúcar, o fermento e o sal em uma tigela grande e misture bem. Faça uma cova no meio. Junte o azeite e dois terços da água. Misture com a mão, acrescentando mais água aos poucos, se necessário, até obter uma massa macia e não pegajosa.
- Coloque a massa sobre uma superfície enfarinhada e sove por 5-10 minutos, até ficar lisa e elástica.
- Divida em quatro pedaços e abra em círculos de 15 cm; transfira para duas assadeiras grandes.
- Misture o cream cheese com as gemas, a baunilha e o açúcar refinado restante e espalhe sobre as bases de pizza. Cubra com as frutas.
- Misture o açúcar mascavo, a farinha de trigo tradicional e a manteiga derretida em uma tigela e espalhe sobre as frutas.
- Asse em forno preaquecido a 220 °C por 12-15 minutos, até dourar.

---

10 Pão pita doce

Toste 4 pães pita dos dois lados. Misture 200 g de cream cheese com 2 colheres (sopa) de açúcar mascavo em uma tigela e espalhe sobre os pães. Polvilhe cada um com 50 g de framboesa e regue com 2 colheres (chá) de mel. Asse sob o grill do forno preaquecido por 2-3 minutos e sirva polvilhado com 1 colher (chá) de semente de gergelim torrada.

20 Falso calzone doce

Misture 200 g de cream cheese, 1 gema e 2 colheres (sopa) de açúcar em uma tigela. Disponha 4 tortilhas de farinha sobre uma superfície de trabalho e cubra metade de cada uma com a mistura de cream cheese, deixando 2,5 cm de borda. Adicione 200 g de morango limpo e fatiado e um punhadinho de mirtilo. Pincele ovo batido nas bordas limpas de cada tortilha e dobre a outra metade por cima, criando semicírculos. Pressione as bordas para vedar. Aqueça 25 g de manteiga e 1 colher (sopa) de azeite em uma frigideira e frite as tortilhas por 3-4 minutos de cada lado, até dourar.

20 Tortinha de maçã e parmesão

4 porções
farinha para polvilhar
175 g de massa folhada resfriada comprada pronta
2 colheres (chá) de açúcar mascavo
2 maçãs verdes descascadas e fatiadas
2 colheres (chá) de mel
40 g de parmesão ralado

Creme de mascarpone (opcional)
4 colheres (sopa) de mascarpone
raspas e suco de ½ limão-siciliano
1 colher (chá) de açúcar mascavo

- Forre uma assadeira com papel-manteiga. Abra a massa sobre uma superfície levemente enfarinhada e corte 4 retângulos de 10 cm x 12 cm. Transfira-os para a assadeira e polvilhe com o açúcar mascavo.
- Disponha as fatias de maçã em fileira sobre cada retângulo de massa. Regue cada um com o mel e polvilhe com o parmesão ralado.
- Asse em forno preaquecido a 200 °C por 12-14 minutos, até dourar.
- Para o creme de mascarpone, se for utilizar, misture em uma tigela o mascarpone com as raspas e o suco de limão e o açúcar mascavo.
- Sirva cada tortinha com uma colherada de creme de mascarpone, se quiser.

10 Maçã caramelizada com arroz-doce

Derreta 100 g de manteiga e 3 colheres (sopa) de mel em uma panela. Junte 4 maçãs descascadas, sem miolo e fatiadas, e aqueça por 3-4 minutos na calda. Sirva as maçãs carameladas sobre 425 g de arroz-doce comprado pronto, aquecido de acordo com as instruções na embalagem.

30 Maçã frita

Em uma tigela, peneire 150 g de farinha com fermento e 1 colher (chá) de canela em pó. Acrescente 60 g de açúcar. Junte 190 ml de suco de maçã para fazer uma massa espessa, um pouco mais grossa do que a consistência de creme de leite. Despeje óleo de girassol em uma fritadeira ou panela grande e aqueça a 180-190 °C, ou até um cubo de pão mergulhado no óleo dourar em 30 segundos. Descasque e retire o miolo de 4 maçãs, corte uma tampa em cima e embaixo e fatie em anéis grossos com 1 cm de espessura. Mergulhe as fatias de maçã na massa e, em seguida, em lotes, mergulhe-as cuidadosamente no óleo quente. Frite por 1-2 minutos, até dourar. Retire com uma escumadeira e escorra em papel-toalha. Polvilhe com açúcar de confeiteiro e sirva com mascarpone.

10 Vitamina de pêssego e banana

4 porções

1 banana grande
3 pêssegos picados
2 pedaços de gengibre em calda
200 ml de iogurte natural
150 ml de leite, mais se necessário

- Coloque a banana, o pêssego, o gengibre, o iogurte e o leite em um processador ou liquidificador e bata até ficar homogêneo, adicionando mais leite, se necessário.
- Despeje em quatro copos e sirva imediatamente.

20 Pêssego e ricota com especiarias

Toste 2 colheres (sopa) de amêndoa moída em uma frigideira seca por 2-3 minutos, depois misture com 200 g de ricota, ¼ de colher (chá) de canela em pó, raspas de ½ laranja e 2 pedaços de gengibre em calda em cubinhos. Corte 4 pêssegos ao meio, retire o caroço e coloque em um refratário. Cubra cada um com o creme de ricota e asse sob o grill do forno preaquecido por 4-5 minutos.

30 Pêssego recheado com uva-passa

Coloque 100 g de uva-passa em uma tigela e regue com 125 ml de rum. Deixe descansar por 10 minutos. Coloque 1 pêssego cortado ao meio e sem caroço em um processador ou liquidificador e bata até obter uma polpa. Junte 1 colher (sopa) de açúcar e as passas embebidas. Disponha 4 pêssegos cortados ao meio e sem caroço em um refratário e regue cada um com o creme de pêssego e passas. Despeje 125 ml de vinho branco em torno dos pêssegos. Asse em forno preaquecido a 200 °C por 15 minutos, polvilhando com 2 colheres (sopa) de amêndoa laminada no último minuto de cozimento. Sirva com sorvete de baunilha ou creme de leite fresco.

30 Cantuccini

4 porções

110 g de açúcar
110 g de farinha de trigo, mais um pouco para polvilhar
1 colher (chá) de fermento em pó
raspas de 1 limão-siciliano
50 g de amêndoa sem pele
15 g de cranberry seco*
1 ovo batido

- Coloque todos os ingredientes em uma tigela e, usando as mãos, misture tudo até formar uma massa dura.
- Vire sobre uma superfície enfarinhada e enrole em forma de salsichão, com cerca de 28 cm de comprimento. Coloque em uma assadeira e asse em forno preaquecido a 220 °C por 15 minutos.
- Retire do forno, deixe esfriar por 2-3 minutos e corte os cantuccini delicadamente.
- Coloque os cantuccini em uma camada plana na assadeira, volte ao forno e asse por mais 2-3 minutos para ficar crocante.
- Deixe esfriar sobre uma grade.

* À venda em empórios e mercados municipais.

---

10 Sobremesa de cantuccini, pêssego, cranberry e framboesa Bata 10 cantuccini no processador ou liquidificador e misture com 40 g de manteiga derretida. Aperte essa mistura no fundo de 4 ramequins. Divida entre eles 2 pêssegos cortados ao meio sem caroço e picados, 50 g de cranberry seco (p. 240) e 100 g de framboesa. Coloque 2 colheres (sopa) de iogurte natural em cada ramequim e polvilhe com 2 colheres (chá) de açúcar mascavo. Leve à geladeira por 2 minutos antes de servir.

20 Scone de cranberry Peneire 225 g de farinha com fermento e uma pitada de sal em uma tigela grande. Junte 75 g de manteiga sem sal e esfregue com as mãos até obter uma farofa. Adicione 40 g de açúcar, 25 g de cranberry seco (p. 240) e 25 g de amêndoa em lâminas. Bata 1 ovo com 1 colher (sopa) de leite e 1 colher (sopa) de iogurte natural e junte à mistura de farinha até obter uma massa macia. Desenforme sobre uma superfície levemente enfarinhada e abra ou aperte a massa até ficar com 2,5 cm de espessura. Corte dez scones usando um cortador de biscoito de 5 cm ou um copo e coloque em uma assadeira. Asse em forno preaquecido a 220 °C por 10-12 minutos, até crescer e dourar. Deixe esfriar sobre uma grade.

30 Iogurte com figo e mel

4 porções
250 g de figo
2 colheres (sopa) de mel
raspas de 1 laranja
3 colheres (sopa) de suco de laranja fresco
250 g de iogurte natural de consistência firme

Para servir
1 colher (sopa) de amêndoa torrada em lâmina
biscoito de amaretto

- Coloque o figo, o mel e a raspa e o suco de laranja em uma panela pequena e cozinhe por 12-15 minutos, até ficar tudo macio e cremoso. Deixe esfriar um pouco.
- Coloque os figos em um processador ou liquidificador e bata até ficar homogêneo. Junte o iogurte, sem misturar demais, para dar um efeito marmorizado.
- Divida em quatro tigelinhas ou copos e sirva polvilhado com amêndoa em lâmina e biscoito de amaretto, para mergulhar.

10 Espetinho de frutas

Coloque em espetinhos de madeira 200 g de morango limpo e cortado ao meio, 3 pêssegos fatiados e 4 figos cortados em quatro. Em uma panelinha, derreta 50 g de chocolate meio amargo com 2 colheres (sopa) de creme de leite e 1 colher (chá) de mel e regue os espetinhos. Sirva polvilhado com 2 colheres (sopa) de amêndoa torrada em lâminas.

20 Bruschetta de morango e figo

Toste 8 fatias de pão ciabatta dos dois lados. Misture 4 colheres (sopa) de mel, 2 colheres (chá) de raspas de limão-siciliano e 2 colheres (chá) de suco de limão-siciliano em uma panelinha e cozinhe até o mel derreter um pouco. Junte 125 g de morango limpo e cortado ao meio e 3 figos cortados em quatro, cozinhe por 1 minuto e retire do fogo. Coloque ½ colher (sopa) de mascarpone sobre cada torrada e 1 colher (sopa) do morango com figo por cima. Sirva imediatamente.

30 Panqueca de ricota com laranja e figo

4 porções

100 ml de leite
250 g de ricota
75 g de farinha de trigo
½ colher (chá) de fermento em pó
2 ovos, gema e clara separadas
1 colher (sopa) de açúcar
25 g de manteiga
2 laranjas
2 colheres (chá) de mel
3 figos cortados em quatro

- Coloque o leite, a ricota, a farinha, o fermento, as gemas e o açúcar em um processador ou liquidificador e bata até ficar homogêneo.
- Bata as claras em uma batedeira elétrica até formar picos moles e misture delicadamente à massa.
- Derreta a manteiga em uma frigideira antiaderente, despeje colheradas da massa na frigideira e cozinhe por 2-3 minutos de cada lado, até dourar. Trabalhe em lotes, mantendo as panquecas aquecidas até toda a massa ser usada.
- Descasque as laranjas e corte-as em gomos sobre uma tigela para aproveitar o suco. Coloque o suco e o mel em uma panela e aqueça bem.
- Sirva três panquecas por pessoa em um prato com gomos de laranja, pedaços de figo e regue com o suco com o mel.

10 Suflê de laranja de frigideira Na batedeira, bata 2 claras até formar picos moles. Em outra tigela, bata 2 gemas com 1 ½ colher (sopa) de açúcar. Misture delicadamente as claras com as gemas. Derreta 5 g de manteiga em uma frigideira e despeje os ovos. Deixe cozinhar em fogo baixo por 2-3 minutos e adicione os gomos de 1 laranja. Peneire 1 colher (chá) de açúcar de confeiteiro por cima e asse sob o grill do forno preaquecido por 1-2 minutos, até ficar ligeiramente dourado.

20 Laranja caramelizada com ricota doce Descasque 2 laranjas e corte as cascas em tiras finas. Corte 6 laranjas grandes descascadas e em gomos, reservando o suco, e coloque laranja e suco em uma travessa refratária. Cozinhe lentamente 250 g de açúcar em uma panela em fogo médio até começar a derreter e caramelizar. Despeje então 200 ml de água quente e abaixe o fogo. Junte a casca da laranja em tiras e cozinhe por 5 minutos. Regue os gomos de laranja com a calda quente. Em uma tigela, misture 350 g de ricota com 1 colher (sopa) de mel. Sirva as laranjas com uma colherada de ricota, polvilhada com 2 colheres (sopa) de pinhole torrado.

10 Sobremesa de damasco com amaretto

4 porções

400 g de damasco ou pêssego em calda
2 colheres (sopa) de licor amaretto
4 bolas de sorvete de baunilha
8 biscoitos de amaretto esmagados

- Escorra a calda do damasco em uma panela e ferva até reduzir um pouco, depois acrescente o licor amaretto.
- Divida os damascos entre quatro taças e regue com a calda quente.
- Coloque 1 bola de sorvete de baunilha em cada taça e sirva polvilhado com os biscoitos de amaretto esmagados.

---

20 Damasco e figo assados na baunilha com mascarpone e gengibre Faça um corte em cruz em 8 figos, sem cortar até o fim. Coloque-os em uma assadeira com 300 g de damasco cortado ao meio e sem caroço. Raspe as sementes de 1 fava de baunilha cortada ao meio e corte a fava em três pedaços. Em um pilão com 50 g de açúcar, junte as sementes e a fava e moa tudo até ficar bem misturado. Polvilhe esse açúcar sobre as frutas e asse em forno preaquecido a 200 °C por 12-15 minutos, até começar a caramelizar. Enquanto isso, bata três pedaços de gengibre em calda com 4 colheres (chá) da calda do gengibre no liquidificador, depois junte 200 g de mascarpone. Sirva as frutas cobertas com uma colherada de mascarpone e 1 pitada de noz-moscada ralada.

---

30 Panqueca de damasco com mascarpone de laranja Peneire 140 g de farinha com fermento e uma pitada de bicarbonato de sódio em uma tigela. Junte 25 g de açúcar. Bata 1 ovo com 150 ml de leite em uma tigela e depois misture com a farinha até ficar homogêneo. Adicione 40 g de damasco seco picado. Raspe 1 laranja e depois corte-a em gomos sobre uma tigela para aproveitar o suco. Misture as raspas, o suco e os gomos com 250 g de mascarpone e 1 colher (sopa) de licor de laranja. Aqueça 1 colher (chá) de azeite em uma frigideira e despeje 4 colheres (sopa) da massa. Cozinhe por 1 minuto, vire e cozinhe por mais 1 minuto. Repita com a massa restante. Sirva 3-4 panquecas quentes por pessoa com uma boa colherada de mascarpone.

30 Cassata com casca de laranja cristalizada

4 porções

285 g de bolo madeira pronto, ou de laranja ou de limão
300 g de ricota
60 g de casca de laranja cristalizada (ou de frutas cítricas variadas) picada
25 g de chocolate meio amargo picado
25 g de açúcar
2 colheres (sopa) de licor amaretto

- Forre uma assadeira de bolo inglês de 500 g com filme de PVC, deixando filme suficiente dos lados para poder dobrar em cima.
- Corte o bolo madeira na horizontal em 3 camadas.
- Em uma tigela, misture a ricota, a casca cristalizada, o chocolate e o açúcar.
- Coloque uma camada de bolo na base da assadeira. Espalhe metade da mistura de ricota por cima para cobrir o bolo.
- Repita o procedimento com a segunda camada de bolo e a ricota restante.
- Cubra com a terceira camada de bolo e regue com o amaretto.
- Dobre o filme de PVC por cima para fechar, pressione suavemente e leve ao freezer por 20 minutos para endurecer.

10 Pera com ricota e casca de laranja cristalizada

Descasque 4 peras, retire o miolo, corte em fatias e divida entre 4 taças. Misture 1 colher (sopa) de licor amaretto e 2 colheres (sopa) de casca de laranja (ou outro cítrico) cristalizada com 150 g de ricota. Divida entre as quatro taças e regue com 1 colher (chá) de mel. Sirva imediatamente.

20 Scone de chocolate e casca de laranja cristalizada

Peneire 225 g de farinha com fermento em uma tigela. Adicione 75 g de manteiga e esfregue com as mãos até obter uma farofa. Junte 40 g de açúcar, 1 colher (sopa) de chocolate meio amargo e ½ colher (sopa) de casca de laranja cristalizada. Bata 1 ovo com 1 colher (sopa) de leite e 1 colher (sopa) de iogurte e adicione à mistura de farinha até obter uma massa macia. Vire sobre uma superfície enfarinhada e abra a massa ou pressione até obter uma espessura de 2,5 cm. Corte dez scones usando um cortador de biscoito de 5 cm ou um copo e coloque em uma assadeira. Asse em forno preaquecido a 220 °C por 10-12 minutos, até crescer.

30 Suflê de chocolate com amaretto

4 porções

125 g de manteiga sem sal derretida, mais um pouco para untar
1 colher (chá) de cacau em pó peneirado
125 g de chocolate meio amargo picado
3 ovos grandes
125 g de açúcar
35 g de farinha de trigo
50 g de biscoito de amaretto esmagado

- Pincele 4 ramequins grandes com a manteiga derretida e polvilhe com o cacau em pó para revestir.
- Derreta o chocolate e a manteiga em uma tigela em banho-maria.
- Enquanto isso, bata bem os ovos com o açúcar até formar um creme.
- Junte o chocolate, a farinha e os biscoitos esmagados à mistura de ovo e açúcar.
- Divida entre os ramequins preparados e leve ao forno preaquecido a 190 °C por 12-15 minutos, até crescer.

---

10 **Sobremesa de chocolate e amaretto** Derreta 60 g de chocolate meio amargo com 30 g de manteiga sem sal e 30 ml de glicose de milho em uma panelinha, mexendo de vez em quando até obter uma calda de chocolate lisa. Distribua alguns biscoitos de amaretto em quatro ramequins, regue cada um com ½ colher (chá) de licor amaretto e despeje a calda de chocolate por cima. Sirva com uma colherada generossa de creme de leite fresco e uma pitada de cacau em pó.

---

20 **Musse rápido de chocolate** Aqueça 300 ml de creme de leite fresco em uma panela pequena até ferver. Junte 200 g de chocolate meio amargo picado e mexa até derreter. Despeje em uma tigela e coloque essa tigela dentro de outra, com gelo, para esfriar rapidamente. Junte 300 ml de creme de leite fresco, 1-2 colheres (sopa) de licor amaretto e 10-12 biscoitos de amaretto esmagados. Bata até formar picos moles. Divida entre copos ou tacinhas e sirva.

Índice

Os números em *itálico* referem-se às páginas com imagens.